83歳、いま何より勉強が楽しい

一橋大学名誉教授
野口悠紀雄

サンマーク出版

はじめに　勉強をシニア生活の中心に据えよう

心の準備なしに訪れた人生100年時代

人生100年時代が現実のものとなってきました。経済的な豊かさの実現と医学の進歩によって、このような時代を迎えることができたのは、非常に喜ばしいことです。

しかし、われわれは十分な準備なくこの新しい時代を迎えてしまった面もあります。社会の仕組みも、個人個人のライフスタイルもそうです。

日本の長い歴史においてずっと続いてきた伝統的なライフスタイルは、次のようなものでした。仕事は主に農業が中心であり、また個人的な店舗などの仕事もありました。いずれの場合も、家族全員で力を合わせて仕事を行っていました。50代、60代になると、子供たちに仕事を引き継ぎ、自分自身は孫たちの世話をしながら余生を過ごすというスタイルが主流でした。

高度成長期を経て、日本は製造業を中心にした経済構造に変わりました。そして仕事の形態も、個人事業から会社勤めへと移行しました。それでも、われわれの考え方は基本的には変わらないままでした。

成人後の人生の半分が老後生活

しかし、現在の私たちのライフスタイルは、これと大きく違います。学校を出て会社で働き、50代後半から60代になると退職する。しかし、その後には、20年から25年間という長い退職後の生活が続くことになります。

つまり、「成人後の人生の約半分が退職後」という時代になりました。これは、われわれがこれまでに経験したことのないライフスタイルです。そしてこのようなスタイルが今後も続くと考えられます。

これは、日本だけのことではありません。世界の多くの先進国に共通する現象です。しかし、その程度は、人口高齢化が著しく進展している日本ほどではありません。世界中を見渡しても、右に見たようなライフスタイルの大変化は、日本特有のものだと思われます。世界のなかで日本人だけが、そして人類の長い歴史の中で初めて、こうした特殊な問題に直面しているのです。

それだけではありません。これまでは子供の世帯と同居して老後生活を送るのが一般的でしたが、今は子供の世帯とは別の世帯になることが多くなりました。そうなると、これまでにはなかったさまざまな問題が出てきます。まず、老後生活を支えるための収入をどう確保するかという問題があります。それだけではなく、身近に話せる相手がいなくなり、孤立してしまうという非常に深刻な問題も発生します。

このため、精神的に落ち込んでしまう高齢者は少なくありません。ささいなことに苛立ったり、怒ったりする。そのため状況がさらに悪化することもあります。そして、そうしたことが続くと、精神的な問題だけでなく、身体的な健康にも悪影響を及ぼす可能性があります。精神的な健康を維持することは、長い退職後生活にとって非常に重要な条件です。

以上のように、人生100年時代という夢のような世界が実現しつつある一方で、それがかえって重荷になってしまっているという皮肉な問題が生じているのです。

これは人類の長い歴史上で初めての事態であり、私たち日本人がそれにうまく適応できないでいるのは、当然とも言えます。これまでの生き方をそのまま続けようと思っても、もはやそれは無理でしょう。考え方と生き方の基本に大きな変更が求められているのです。

勉強を高齢者の生活の中心に据える

本書は、高齢者の生活において、勉強が重要であることを強調し、セカンドライフ、セカンドキャリアについての新しい視点を提供します。

多くの人が、「勉強とは、若い世代が行うものだ」と考えています。そして、「勉強は進学や就職のために必要なもので、辛いものであり、やらなければならないものだ」と考えていることでしょう。

このため、「高齢者が勉強しよう」と提案すれば、「高齢者になってまで勉強するのはごめんだ」といった反応が返ってくるかもしれません。確かに、これまでの社会で、勉強がそのような性格を持つものであったことは否定できません。

しかし、勉強はそうしたものだけに限定されません。高齢者の勉強は、若い時代の学びとは異なる性格のものなのです。

勉強を生きがいにすることができます。勉強を続けることによってライフスタイルが変わり、新しい時代に適応するものに変化していきます。その結果、新しい人間関係の交流が生じれば、コミュニケーション問題も解決されます。こうして、勉強を続けることが、これまでに述べてきたさまざまな問題の解決の原動力となります。

本書ではその具体的な方法を提案します。勉強は誰にでもできることであり、気が向けばすぐにでも始めることができるものです。そして、多くの場合、多額の費用は必要とされません。必要とされるのは、「これからの生活で勉強を中心に据えよう」と、考え方を転換することだけです。

ぜひこのような視点の転換を試みてください。そして、本書が提案する具体的な方法に従って勉強を進めていただきたいと思います。その結果、あなたの生活は間違いなく大きく変わることでしょう。

「目的のない勉強」の重要性

学校教育が中心であった学生時代の勉強とは異なり、高齢者の勉強は多種多様です。資格取得などを目指す場合には、さまざまなセミナーが提供されており、それらに参加するのも一つの方法でしょう。また、近年では地方公共団体などが高齢者向けの学習プログラムを用意しています。そうしたプログラムに参加するのも選択肢でしょう。しかし、これらだけが高齢者の勉強法であるわけではありません。

本書でとりわけ強調しているのは、「目的のない勉強」ということです。勉強によって得られる何かを期待するのではなく、勉強すること自体が楽しい。だから勉強する。このようなことを提案します。

その方法として、主に独学を中心にした勉強の方法を提案します。これは費用がかからず、やる気さえあれば、すぐにでも始められるものです。さらに、セミナーや学習プログラムなどと独学とを組み合わせて進めることも可能です。まずは、この自習型の勉強法から始めてみることを提案します。

デジタル機器の活用で可能性を広げる

本書がとくに強調したいのは、デジタル機器の活用です。もちろん、本書で提案している勉強法は、必ずデジタル機器の使用を必要とするというわけではありません。デジタル機器を全く使わずに進めることも十分可能です。ただし、デジタル機器、とくにスマートフォンを使うことによって、学習の可能性は大きく広がります。

事実、多くの高齢者がすでに日常生活の中でスマートフォンを利用しています。「高齢者はデジタル機器を使えない」と思っている方は、ぜひこの機会にその考えを改めてください。使ってみれば、意外に簡単であることが分かるでしょう。

これらの機器を使うことによって、学習の可能性が大きく広がります。こうした方法を用いることによって、さまざまなすばらしい結果が得られるでしょう。

本書は第9、10章で、ChatGPTなどの生成AIの利用についても述べています。これは新しい技術であり、高齢者にとって関係ないと思われるかもしれません。しかし、それは誤解です。とくに、高齢者の話し相手になってくれることは重要です。

勉強だけやっていられる幸せ

ここで、私が一日をどのように過ごしているかを改めて振り返ってみると、次のようになります。

それは、非常に簡単なものです。朝起きると、寝ている間に考えついたことが多いので、それをメモしています。朝食のあと仕事を始め、昼まで仕事をします。午後も仕事をします。夜になっても仕事をします。これだけです。

私が「何をしていないか」という面から説明することもできます。していないのはテレビを見ることです。起きたらすぐリビングルームに行って、テレビをつける人が多いと思います。しかし、私は、そうはしません。するのは、台風が接近しているときだけ。そもそも、私の家のリビングルームには、テレビが置いてありません。

また、会議のために出かけていって会議室にずっと座っているという時間帯もありません。こうしたことは、私の予定表から一切追放しました。そして、いまや大学の講義もなくなったので、右に述べたような一日が可能になったわけです。

こうした私の一日を他の人が聞いても、全然面白くないと思うでしょう。しかし、私にとっては、正反対です。これほど面白い毎日はありません。

私がやっていることは、普通は勉強とは言わないかもしれません。しかし、大部分の時間は、何かを調べることに費やされています。資料を調べて新しいことを学んだり、そこから何かを見出そうとしています。ですから、広い意味での勉強の一種と言えるでしょう。

その意味で、いまの私は、一日中勉強だけをやっているといえます。一日の時間をこのように使えるようになったのは、比較的最近のことです。それまではその他にさまざまなことを行う必要がありました。それが勉強だけをしていればよいようになったのは、大変嬉しいことです。私は、このような時期を迎えることができたのを、大変素晴らしいことだと思っています。

各章の概要

本書の各章の概要は、つぎのとおりです。

第1章では、人生100年時代が現実のものとなりつつあること、そして、60歳代以降の定年退職後の生活が重要になったことを述べます。この期間は、これまでは、働いた後の余生と考えられていたのですが、そうではなく、セカンドライフとかセカンドキャリアと言われるように、この期間こそが人生の最も素晴らしい、重要な時期になったのです。そのように、考え方を転換する必要があります。
しかし、この時期を実り多いものにするのは、それほど簡単なことではありません。そこで、勉強を生活の主軸にすることを提案します。このような勉強をしてきた人は、昔からたくさんいます。いま、多くの人がそれをできるようになったのです。

この期間についてしばしば問題とされるのは、退職後生活の経済的な問題です。これが重要問題であることは間違いありません。ただ、それだけではなく、精神的な面も重要です。これが第2章のテーマです。そして、その面において最も有効なことが、勉強なのです。何かのためでなく、勉強することそれ自体が楽しいから勉強する。そのようなことが実現できる贅沢が可能な時代になったのです。

第3章では、高齢者になっても脳は発達すること、知的好奇心が重要であることを述べます。「勉強するのがすばらしいということは分かったけれど、歳をとると物忘れがひどくなって、勉強などできない」という人がいます。しかしこうした考えは間違いであることが最近の研究で明らかにされています。物忘れすることと勉強できるかどうかは別のことであって、仮に物忘れがひどくなったとしても、勉強することは十分可能なのです。

学ぶことそのものを目的とする勉強については第2章で述べますが、勉強をすることによってセカンドライフでの仕事が続けられれば、それは最も望ましいことです。これについて第4章で述べます。これは「セカンドキャリア」と呼ばれます。組織に依存せず独立して働けるようになれば、理想的でしょう。東京都のセカンドキャリア塾など、自治体の取り組みもあります。

しかし、高齢者が働くのは、決して簡単なことではありません。まず、何の準備もなしにできるわけではありません。新しい技術進歩に対応するために、リスキリングが必要です。とくに重要なのは、ChatGPTなどの生成AIの驚異的な進歩に対応することです。

第5章では、メンタルなヘルスについて考えます。「定年シンドローム」と言われる現象は、深刻な問題です。コロナ禍で「フレイル」と言われる現象が増えたことも指摘されます。歳をとると心配性になるのは止むをえませんが、「心配事の97%は取り越し苦労」との研究結果もあります。

第6章で見るように、肉体的な健康と精神的な健康は密接に結びついています。肉体的な健康を維持することができなくても、メンタルなヘルスはコントロールできます。

そのための強力な手段が勉強です。最近のポジティブ心理学は、いくつかの原則に従うことで、人間の満足感を高めることができるとしています。勉強はポジティブ心理学の言っていることに見事に一致するものです。この章では、健康に対して「一病息災」という考えを述べます。

第7章では、独学の進め方について述べます。独学こそが、もっとも効率的でかつ楽しい勉強法です。デジタルはシニアの味方になります。また、逆向き勉強法で情報をプルすることの重要性についても触れます。

第8章では、デジタル機器が、高齢者の学習において大きな助けとなることを述べます。とくに、スマートフォンがさまざまな面で助けになります。ただし、高齢者の中には、デジタル機器を使うことに抵抗感を持つ方も多いかもしれません。確かに、人間は新しいものに対して本能的に警戒心を抱くものです。新しい技術に対してそのような感じ方をするのは、人間としてごく自然な反応です。
しかし、そのような思い込みを克服することが重要です。実際にデジタル機器を使ってみれば、その操作は決して難しくないことが分かります。

第9章では、ChatGPTという新しい手段が登場し、世界に大きなショックを与えつつあることを述べます。高齢者の生活も、これによって大きな影響を受けざるをえません。人間にしかできない仕事が何かを、見出していくことが重要です。文章の翻訳や要約そして校正には、驚くべき力を発揮します。それに対して、クリエイティブな仕事は難しい。生成AIには、新しいものを生み出す力は、本来ないと考えるべきです。生成AIにアイディアを出してもらえるかどうかは、やり方次第です。

ChatGPTにはさまざまな機能がありますが、何の目的もない雑談をすることが、高齢者にとっては重要な使い方です。ChatGPTは、高齢者にとって非常によい話し相手になる可能性があります。これをうまく使うことによって、高齢者の生活は大きく変わります。こうしたことを行う具体的な方法について、第10章で述べます。
ChatGPTは、私が初めて出会った理想的な雑談の相手です。

ただし、人間は人間と人間のつながりを求めるものです。第11章では、メールマガジンやZoomミーティングなどのデジタルコミュニケーションが、高齢者にとって重要な役割を果たすことを述べます。簡単に人と人のつながりを実現することができるからです。よく地域でのコミュニティが重要と言われるのですが、会社社会の日本ではこれはなかなか難しいことではないかと思います。学生時代の仲間の集まりが、一番長続きするのではないでしょうか?

第12章では、自分史について述べます。自分がどのような人生を歩んだかを振り返るのは、楽しい作業です。高齢者の精神面に優れた効果があるという研究もあります。これを実行することで、実り豊かなセカンドライフを実現しましょう。

◆◆◆

本書は基本的に書きおろしですが、一部は「現代ビジネス」に公表したものを基としています。この掲載にあたってお世話になった「現代ビジネス」編集部、間宮淳氏に御礼申し上げます。

本書の刊行にあたっては、サンマーク出版の橋口英恵氏、マーベリックの大川朋子氏にお世話になりました。御礼申し上げます。

2024年2月　野口悠紀雄

本書におけるサービスや商品をはじめとする情報は、２０２３年10月時点のものです。

目次

第3章 記憶力の衰えでなく、好奇心の衰えこそが大問題

第4章 学び続けるために知っておくとよいこと

第5章 定年シンドロームに陥らないため勉強する

第6章 歩くことのさまざまな効用

第7章 講義を受けるのでなく、自分で学ぶ

第8章 デジタルはシニアの最強力の味方

第8章 デジタルはシニアの最強力の味方

第9章 ChatGPTが高齢者の世界を変える

第10章 ChatGPTとの会話

第11章 シニアのコミュニケーションはデジタルで

第12章 「時間旅行」という究極の楽しみ

第1章

勉強こそ最高の贅沢

1.シニアの勉強は最高の贅沢

老後を「何もせず、気楽に」では無駄

本書は、シニアになって勉強することの重要性を強調しています。

「シニアになってまで勉強するなんて、まっぴらごめん」という人がいるかもしれません。

「いまさら勉強したって、それが役に立つなんてことは考えられない。これまで一所懸命仕事をしてきたのだから、これからは何もせず気楽に、毎日を過ごしたい」という考えです。

しかし、これはまったく間違っています。「何もせずに過ごす」のでは、人生の最も実り多い時期を、無駄に過ごすことになります。

シニアの勉強は、学生時代の勉強とは全く異なるものです。勉強は学生時代の勉強しかないと考えてはいけません。確かに、学生時代の勉強は、辛いものだったかもしれません。期末試験のために、あるいは入学試験のために、いやいやながらやったという人も多いかもしれません。

しかし、それとは全く異なる勉強、楽しい勉強が可能なのです。シニアの勉強とは、そのようなものです。その可能性を信じ、追求しましょう。

勉強が楽しいものだと分かれば、毎日勉強を続けるようになります。そして、興味が広がり、一日一日が味わい深い毎日に変わります。「いまさら勉強なんて」などと言うなかれ。高齢だからこそ、勉強しましょう。

シニアになって勉強した人々

「勉強が楽しい」というのが嘘でない証拠に、退職後も勉強を続けた人たちがたくさんいます。これは、成果を期待して行う「投資としての勉強」ではなく、楽しいから行う「消費としての勉強」です（この言葉については、第2章の3で詳しく述べます）。

実は、日本人は昔からこうしたことを行ってきました。「シニアの勉強」という点で、日本人は世界のトップグループに属するのです。

例えば、江戸時代に、「算額」というものがありました。これは、数学の難問を競い合って解き、成果を額に入れて神社に奉納するものです。全国各地の神社に算額が残っています。

これに精を出したのは、武士というよりは、商人でした。「商家を繁盛させて引退し、あとは息子（あるいは養子）にまかせる。そして、自分は一日中、数学の問題に取り組んでいる」というのは、想像するだけで楽しい光景です。

数学を趣味にしたのは、江戸時代の日本人に限ったことではありません。トルストイの小説『戦争と平和』に登場するニコライ・ボルコンスキイ公爵（主人公の一人であるアンドレイ・ボルコンスキイの父親）は、モスクワから離れた自分の領地「禿山」にこもって、高等数学の勉強に没頭しています。

そして、令嬢マリアに数学の勉強を強制します。学生時代にこれを読んだとき、「なんたる変人！」と思いました。しかし、いまでは公爵の気持ちはよく分かります。

彼は政府の高官だったので、さまざまな人間の争いに巻き込まれたことと思います。そうした仕事をやっと終えて、自分が最もやりたいことに集中する時間を初めて得、そして、思う存分、数学の研究に熱中したのでしょう。

トルストイ自身が晩年になっても勉強を続けたと言われます。彼は、70代でイタリア語を勉強したそうです。

ゲーテは、死ぬ直前まで劇詩『ファウスト』を書き続けました。松尾芭蕉は、水道技師として働いていたのですが、それを終えて、「俳句」という自分が最もやりたいことに集中する時間を見出しました。

多くの人が、退職後を無駄に使っている

多くの人が、「退職後」をネガティブな意味に捉えています。そして、この貴重な期間を無駄に使っています。テレビ、ゴルフ、雑談、犬をつれて散歩等々。

これらは、決して悪いことではありません。しかし、これだけというのでは、いかにも残念です。やりようによって実り多い時期にすることができるのに、それを行わないでいます。

自分のための勉強（勉強のための勉強）をすることで、この期間を、人生の黄金時代とすることができるのです。

暇な時間が多いと、人間はいろいろと余計なことを考えてしまいます。心配する必要がないことを心配することになりかねません。

勉強が面白く、それに熱中するようになると、時間が足りなくなります。余計なことを考えている時間などなくなり、時間が貴重なものになります。

2.なぜ「勉強は辛い」と考えるのか?

受験勉強は辛いものだった

勉強は本来、楽しいものです。それまで別々に捉えていた事柄が一つの法則で理解できるのは、大変楽しいことです。新しい知的発見に胸をときめかせるのは、人間の本性です。楽しさを軸に勉強を捉えたら、必要に迫られずとも、人は自ら進んで学びます。第2章の3で述べるように、人間は本能的に勉強を楽しいものと考えるはずなのです。

それにもかかわらず、世の中には、勉強を面白いと思わない人がたくさんいます。正確に言えば、「勉強は辛いもの。だから、勉強は嫌い」と考えている人が大部分です。なぜ多くの人々は勉強が嫌いなのでしょうか?

第1の原因は、受験勉強でしょう。受験の場合には、合格できるかどうか、常に不安にさいなまれています。そして、不合格になった場合には大変辛いことになります。だから、勉強が辛いものだという考えになっても、やむをえません。

しかし、シニアの勉強の場合は、そうした問題がありません。勉強が楽しいということが、そのままの形で現れます。

シニアにとって勉強の制約は、残り時間が少ないことだけです。身体の衰えはデジタル技術が補ってくれます（第8章参照）。第3章で述べるように、物忘れは勉強の障害になりません。ぜひ好奇心を持って、自分の興味のあることを追求してください。

楽しさを教えることこそ教師の役割なのだが

「勉強が辛いものだ」と考えられる第2の原因は、学校の教師にあります。教師が、勉強の楽しさを教えてくれなかったのです。「勉強が嫌い」と言っている人の大部分は、勉強の面白さを知る機会に恵まれなかった人たちです。

勉強の面白さを学生や生徒に教えるのは、教師の最大の役目です。教師が果たすべき役割のうち、勉強の楽しさを伝えることに比べれば、知識そのものを教える重要性は、二義的だといってもよいくらいです。そして、ChatGPTなどの新しい手段によって知識の獲得はますます容易になっているので、この傾向はより強くなっています。

それほど重要な役割であるのに、それを果たしていない教師が多いのは、大きな問題です。私自身も、残念ながら、物理学や数学の面白さを教えてくれる教師に出会いませんでした。数学嫌いを大量に生産してしまったのは、学校の数学教師の責任です。

勉強の楽しさを教師が教えられないのは、彼ら自身が勉強の楽しさを知らないからでしょう。もし知っていれば、それを生徒に伝えたくなるはずです。その気持ちは、確実に生徒に伝わります。

私は教えることが好きですが、それは、知識を学生に伝えたいからではありません。それよりも、「私が教えている内容はこんなに面白い」と学生に伝えたいからです。そして、それを学生が知って驚くのを見たいからです。私が一番聞きたい反応は、「こんなことだったとは知りませんでした。目からうろこが落ちました。驚きです」というものです。

私は、大学4年生のときに、公務員試験の経済職に挑戦することを考え、経済学を独学で勉強しました（第7章の6参照）。その後、大蔵省からアメリカに留学し、経済学の面白さに夢中になりました。それを教えてくれたのは、私の先生のヤコブ・マルシャック教授です（マルシャックは、計量経済学や数理経済学の創始者の一人。彼の弟子には、ノーベル経済学賞受賞者が何人もいます）。

勉強したくとも、それができなかった

人々が勉強を楽しくないと思う第3の理由は、（やや逆説的と思われるかもしれま

せんが)、勉強することに制約がなくなってしまったことです。かつての日本社会では、親から勉強を強制されることは少なく、むしろ制約されることの方が多かったのです。

進学時に、経済的なハードルを越えられずに断念した友人が大勢います。私の世代では、経済的な理由で進学できない人が多くいました(1965年の大学進学率は、10%程度でした)。この頃の社会では、親の仕事を手伝うことや、親の家業を継ぐことが普通でした(少なくとも長男である場合には)。家の手伝いをすると褒められますが、勉強するだけで褒められるわけではありませんでした。

また、「女の子には勉強はいらない」「女の子は大学に行く必要はない」というのはごく一般的な考えでした。だから、能力があってもそれを十分に発揮できずにいた女性は非常に多いのです。

勉強したくても勉強することができなかった人たちは、親に隠れて勉強したものです。制約されたからこそ、勉強の楽しさを実感できたのです。私は大学院まで進学できましたが、それは就職後のことでした。そして、それは、いくつかの幸運が重なった結果でした。

恵まれすぎた世代の悲劇

日本社会は、１９６０〜70年代ごろを境にして、大きく変わりました。経済的に豊かになったため、勉強を続けることの経済的な制約はほとんどなくなったのです。そのため、「勉強が特権である」という意識は薄れました。しかし、今度は、親が子供に勉強を強制するようになったのです。

ところが、子供たちは、まだ勉強の楽しさを知りません。遊ぶことで好奇心を育てる方が大切です。それにもかかわらず、遊びを制限して、家で勉強をさせ、塾に通わせました。勉強を強制されると、楽しくは思えません。だから、勉強から逃げたいと思うのは当然です。この結果、子供たちが勉強を嫌うようになりました。勉強の楽しさを知らない世代の人々を、私は哀れに思っています。

3. 人生100年時代：セカンドライフは人生の黄金期

退職後は「余生」ではない

本書が対象としている「シニア」がどんな人たちかを、ここではっきりさせておきましょう。

これは、大まかに言えば、日本の年功序列的雇用体制の中で、「最初の段階」を終えた人々のことです。具体的には60～65歳程度以上の人々です。

ここで「最初の段階」とは、「小中高校↓大学↓新規採用↓定年」までの期間を指します。従来は、これだけが人生の重要な期間であり、あとは「余生」と考えられていました。

しかし、いまは「人生100年時代」です。期間の長さからしても、「最初の段階」とそれ以降の段階とがあまり変わらなくなってしまったのです。シニアの期間は余生ではなく、人生の重要な期間となりました。

退職後の期間が長くなった

20代以降（つまり、学齢期を終えて以降）の人生を、つぎの2つの期間に区別してみましょう。

第1期は、20代後半～60歳頃までの約35年間です。これは、仕事の期間です。「子育てをしながら、あるいは親の介護をしながら」働く期間です。そして、第2期が60歳頃からの期間です。これは、自分のために使える期間です。

人生100年時代においては、これらの2つが、ほとんど同じ長さになったのです。もう少し詳しく言うと、60歳時点における男性の平均余命は、1965年には15・26年でした。それが、2015年においては、23・51年になっています。ですから、第1期と第2期の長さの比は、35対23・5で、依然として第1期のほうが長いことは事実です。しかし、ほぼ同じになったといってもよいでしょう。少なくとも、第2期の生き方を真剣に考えなければならないことに、間違いはありません。

セカンドライフ、セカンドステージならではの生き方

最近では、「セカンドライフ」とか「セカンドキャリア」という言葉も使われるよ

うになっています。

セカンドライフとは、定年後の第二の人生を指す言葉で、「セカンドステージ」と呼ばれることもあります。生活水準の向上や医療技術の発展によって、日本人の平均寿命は急激に延びました。60歳や65歳で定年を迎えても、さらに20〜25年ほどの長い人生を送ることになります。

人生の「第2段階」は、余生ではありません。本当に自分の目的を追求できる時代なのです。

高齢人口が増える

2023年において、日本の65歳以上の人口は、全人口の29・2%を占めています。つまり、約3人に一人が65歳です。

この比率は、将来上昇すると予測されています。国立社会保障・人口問題研究所の2023年推計では、2040年には34・8%に、2060年には37・9%に上昇するとされています。さらに、2070年には38・7%になり、2085年には40・1%になると推計されています(出生中位、死亡中位推計)。つまり、人口の4割以上が65歳以上人口になるのです。

この比率は、1960年には5・7％、1980年には9・1％でした。日本の人口構成は、その時とは全く違うものになったことが、はっきりと分かります。65歳以上年齢階層の人々（私もその一人ですが）がどのようにして充実した生き方を実現できるかは、現在の日本で最大の課題の一つになったのです。

「加齢学」（gerontology）という学問分野もあります。これは、加齢に伴う心身の変化を研究し、高齢社会における個人と社会のさまざまな課題を解決することを目的とした学問です。本書では、そうした研究の成果を参照し、また、私自身の経験も顧みて、高齢者の生きかたという問題を考えることにします。

平均寿命、健康寿命が延びた

日本の平均寿命は、世界的にみても高水準です。厚生労働省の「令和3年簡易生命表」によると、男性の平均寿命は81・47年、女性の平均寿命は87・57年であり、新型コロナウイルスなどの影響で前年をやや下回ったものの、高い水準を維持しています。60歳もしくは65歳で定年を迎えたとすると、20年ほど定年後の生活を送る可能性があります。

平均寿命と関係のある指標が、健康寿命です。健康寿命とは、病気などによる制限を受けず、健康な日常生活を送ることができる期間を指します。

内閣府の「令和4年版高齢社会白書」によると、令和元年時点の健康寿命は、男性が72・68年、女性が75・38年です。平均寿命と比較すると、健康寿命が平均寿命を下回っていることが分かります。

健康なセカンドライフを送るためには、平均寿命だけでなく、健康寿命を延ばすことが大切です。最近は、健康意識の高まりによって、健康寿命は、平均寿命を上回る勢いで延びつづけています。

本章の1で述べた『戦争と平和』のボルコンスキイは退職後の人で、これを読んだ時（50年以上前）には随分、年寄りのように思っていたのですが、実際の年齢からいうと、多分、50代だと思います（第10章の6参照）。つまり、今の高齢者は、これまでの人類の経験からいうと、とんでもなく年寄りなのです。

これは、医学の発達があるからです。だから、体が不自由になっても勉強できます。体が悪くなっていっても、デジタルツールがそれを助けてくれます（これについては、第8章で詳述します）。

勉強は、40、50代の人々にとっても重要

本書が対象としているのは、退職後の人々です。ただし、ここで述べている勉強法は、40、50代の人々にとっても重要なものです。後者の年齢層の人々にとっては、リスキリングや資格取得のための勉強が重要だからです。

また、専業主婦も、60代から黄金期が始まります。勉強が重要ということは、専業主婦の人たちにも当てはまります。どんな人にも当てはまるものです。

第2章

楽しいから勉強する。目的は要らない

1. 勉強は楽しい

学者は、面白いから勉強をやめられない

「学者」とは、勉強の楽しみにとりつかれてしまった人種です。研究者は、社会に貢献しようとして研究しているのではありません。面白いからやっているのです。ましてや、金儲けしたいとか、偉くなりたいという実利的な目的のためにやっている人はいないと思います。

ガリレオ・ガリレイは、研究が自らの生命の危機さえ招くことを知りながら、研究をやめられませんでした。木星の周りを小さな衛星が回っているのを見れば、現代のわれわれでさえ感動します（私も、中学生のとき、自作の望遠鏡で見て感激しました）。ましてや、ガリレオは、人類で最初にその光景を目の当たりにしたのです。しかも、それは、彼が信じる地動説のまごうかたなき証拠でした。彼が研究を止められなかったのは、当然すぎるほど当然のことだったのです。ガリレオほどの強い信念ではなくとも、「研究が面白いからやめられない」と思っている人は山ほどいます。

勉強の楽しさは特権階級だけでなく誰でも享受できる

ただし、これまでは、そうした贅沢は一部の人々だけに許されたものでした。第1章の1で述べた「シニアになって勉強した人々」は、恵まれた人々です。ところがいまは、学者でなくとも、また恵まれた立場にいなくとも、シニアになれば、誰でもそれができるようになりました。なんと素晴らしいことでしょう。その特権を最大限に使うべきです。

私は、学者の職を得られたことを、ありがたいことだと心から感謝しています。役所から大学に移ったとき、「自分の好きなことだけをやっていればよい。しかも、それで給料がもらえる」ということに驚きを感じました。

私はその後、ファイナンス理論のコースを教えるようになりましたが、そのために勉強したのも、実に楽しいことでした。難しいと思っていた概念の意味が、あるとき突然分かります。そのとき、地平線が急に広がるように思えます。数値計算をしてみると、定理が予想したとおりの結果がちゃんと得られます。当たり前のことなのですが、驚き、感激します。こうした楽しみは、テレビを漫然と見ていては、決して得られないものだと思います。

勉強と言うと、何かのためにやると考えます。例えば、勉強してより高給の仕事に転職するなど。しかし、右に述べたのは、そうした勉強とは全く異質のものです。何のためにもならない勉強は、最もぜいたくな消費です。究極の贅沢といえるものです。

外国語の勉強を今もやめられない理由

私は昔から外国語の勉強が好きでした。勉強しながら、「何の役にも立たないことに時間を使うことは無駄ではないか」と考えることが、なくはありません。

それにもかかわらず、外国語の勉強をやめられないのは、面白いからです。なによりも、詩が読めます。実用文や小説は翻訳でほぼ用が足りますが、詩ではそうはいきません。翻訳によって、まるで違った印象になってしまいます。こうしたことがあるので、外国語の勉強はやめられませんでした。

私はしばらく前までロシア語を勉強していました。勉強する時間をなかなか取れないので、牛歩そのものでした。しかし、知っている言葉に出会うことが少しずつ多くなります。ときには、文章がすべて分かる。

イタリア語も、オペラのセリフが少しずつ分かってきます。ドイツ語やフランス語は学生時代に勉強したのですが、これは、音の快感です。実用的な目的に役立ったことはほとんどないですが、この快感を知りえただけで、勉強した甲斐がありました。

映画を字幕なしで見る

今は外国の映画を簡単に見ることができるようになりました。多くの人が字幕で見ていますが、字幕を見ずに、もとの言葉で理解するようにします。中国語や韓国語など勉強していなかった言葉でも見ているうちに分かってくるはずです。1年経てばずいぶん進歩するでしょう。やろうと思えば、何の努力もなしに、外国語を勉強できる楽しい経験をすることができます。

多くの人が外国の映画は字幕で見るものだと決めてかかっています。言葉を理解しようと努力をしていないだけのことです。その意味で映画を見る時間を無駄にしていることになります。

映画を見る楽しみの半分近くは、会話を聞くことだと思います。それまで知らなかった表現法を知ったり、理解できていなかった台詞が理解できるようになると、大変楽しい。だから、同じ映画をDVDで何度も見ています。何度見ても、新しい発見があります。日本映画ではこの楽しみがないので、あまり見ません（最近の日本映画では俳優の演技が下手なことが、もっと大きな理由ですが）。

「そんなに外国語を勉強して、いったい何の役に立つのか？」と聞かれそうです。実用的な用途に限って言えば、世界のほとんどの国で英語で用が足りてしまうから、それ以外の言語を学習する必要性は低い。それにもかかわらず英語以外の外国語を勉強するのは、単に「楽しいからだ」としか答えようがありません。

「たくさんの言語を学ぶ楽しみ」は、神の贈り物

世界には数多くの言葉があるから、いくら勉強しても挑戦対象がなくなることはありません。退職後の趣味として、外国語の勉強はたぶん理想的なものです。

「世界に多数の言葉があるのは、神の刑罰だ」という考えが一般的です。旧約聖書の「創世記」第11章にも、そう書いてあります。バベルの塔を作って天に達しようとしたことが神の怒りを買い、それまでは一つの言葉だったのを、別々の言葉にして混乱させてしまった、というものです。

私は、神は、人間の「学ぶ楽しみ」を際限のないものにするために、たくさんの言葉を作ってくれたのだと考えています。それは素晴らしいことです。

これは、映画の台詞を分かるようになれば、誰でも実感できると思います。外国の映画を見ていて、字幕に頼らないで言葉が分かるようになったら、すごく楽しい。だ

から、どんどん勉強したくなる。では、そうして何が得られるかといったら、何も得られない。ただ楽しいからやっているだけです。

お金をためてヨットを買い、航海する。何のために？　それで健康になるわけでもないでしょう。楽しいからです。シニアの勉強も同じです。それで収入が増えるわけではない。楽しいからするのです。

ヨットを買うにはかなりのお金が必要ですが、勉強は、お金をかけないでできます。これまで生きてきた、しかも丈夫で生きてきたことの御褒美として、勉強する特権が与えられたと考えることができます。

だから、これは遊びだとも言えます。つまり、高齢者にとっての勉強というのは、最高の遊びなのです。遊びというのは、もともと目的がない。それ自体が目的です。

ただ、残り時間の問題がある。そういうことをやれる時間がどんどん短くなっていくのが残念です。私は、中国語を勉強したくてしようがないのですが、時間が取れず、とても残念です。

私はこれまで勉強を続けてきた

アメリカで運転免許証を申請した時、在学年数を書く欄があり、そこに「19年間」

と書いたところ、係官に、「ここは年齢を書く欄ではない」と注意されたことがありました。

それほどの期間、勉強をしたことになります。そのような条件に恵まれたことを、本当にありがたいことだと思っています。

勉強を続けるためには、経済的な条件が必要です。私の場合、その条件が満たされていたとは言えなかったのですが、幸いなことに大学院まで勉強することができました。そのようなことが可能になったのは、何人もの方が、私に勉強をさせる機会を与えてくださったからです。それらの方々に感謝しています。

(本項の最初に書いたことは、創作ではなく、実際にあったことです。そして、これを持ち出したのは、大学院博士課程を終えている男が19歳のように若々しかったと自慢したいからではありません。多分、この係官は目が悪かったのでしょう)

2. 火星人が勉強しないのは不自然

レムの『宇宙戦争』批判

ポーランドの作家スタニスワフ・レムは、「宇宙戦争論」の中で、H・G・ウェルズの『宇宙戦争』を絶賛したあとで、しかし、「一点だけ非難するところがある」とし、「それは、火星人に文化が欠けていることだ」として、つぎのように述べています（注）。少し長いのですが、引用しましょう。

「火星人は、極めて即物的な共同作業―惑星をうまく征服するための軍事的な共同作業で用いられる倫理以外の倫理を知らない。（中略）知性は好奇心旺盛でなければならない。（中略）火星人はすくなくとも、われわれがわれわれにとって無益な甲殻類や植物を究めるぐらいには、人間を究めるべきであろう。人類がそれほどまずい餌でないということを知った後、彼らはわれわれの血を吸うだけにとどまらず、人間を生理学的観点からも精神的観点からも研究するべきであろう。しかし彼らは、まるで吸血鬼に似た猛獣のように、言わば本能的に行動している。だが、それは私に言わせれば、彼らの実践する道徳がいかに残酷であるにしても、知性の原則に反しているように見える。彼らは、どんな文化の痕跡も、情報の入ったカプセルも、記録も何一つ残さない。謎めいた機械を除いては。これもまた、私には物語の重大な欠陥に思える。」

私もこの意見に全く賛成です。地球に侵入した火星人は人類を殺戮しますが、人間を殺すだけであって、人間を生け捕りにしてその行動を観察するとか、人間を解剖して臓器の状況を調べるとかいうことを、一切行っていません。

「勉強」という言葉を使うとすれば、火星人は地球や人類のことを勉強する気配を一切見せないのです。もし火星人が知性を持っているのであれば、これはいかにも不自然なことです。

(注)『高い城・文学エッセイ』沼野充義ほか訳、国書刊行会、2004年。なお、レムは、『ソラリスの陽のもとに』などの著者

火星人に知性があるなら、「目的のない勉強」をするはずだ

火星人にとって、「人間をいかに効率的に殺戮できるか」を探求する必要はないの

かもしれません。なぜなら、武力的には圧倒的に強いために、わざわざ地球人を観察しなくても、地球を征服できることが明らかだからです。研究することによって地球征服が容易になるわけではありません（注）。こうした勉強は、本書の第4章で述べるもの、つまり、「目的のある勉強」です。

しかし仮に、目的のある勉強の必要がなかったとしても、火星人が知性を持っているとすれば、純粋に知的な好奇心から人間を観察しようとするはずです。つまり、本章のテーマである「目的のない勉強」をするはずです。

初めて出会ったものに対して強い興味を抱き、それが何であるかを探求しようとするはずです。また、その知識を火星の同胞に伝えたい、記録に残したいと考えるでしょう。これは、「遊びとしての勉強」と言ってもよいものです。最高の遊びです。

（注）正確にいうと、火星人は天下無敵ではありません。火星人のトライポッド（3本足の乗り物）とイギリス海軍の駆逐艦サンダーチャイルドが対戦する場面があるのですが、トライポッドの1基はサンダーチャイルドの砲撃を受けて、もう1基は同艦の体当たりで、海中に崩れ落ちてしまうのです。この場面からすると、火星人の兵力は人間と互角といってもよいので、火星人は人間を研究して、「勝ち方」を見出す必要があります

3.目的がない勉強の重要性

必要だから？　時代に追いつくため？

多くの人は、必要性で勉強を捉えています。例えば、将来はテクノロジーが発達して人間の代わりにＡＩがさまざまな仕事をやるというので、「人生１００年時代は、シニアになっても働かなければならない。コンピュータに仕事を奪われないように能力を高めよう」と勉強を始めます。

「社会の変化についていくために必要だから」という理由で学ぼうとする人がいます。しかし、勉強は必要に迫られてやるのではなく、楽しいからやるのです。勉強して身につけたことを使って何かをしようというのではなく、楽しいからやる。勉強には、後で述べるようにさまざまな効用がありますが、それがなかったとしてもよいのです。

高齢者の生活を考える際に最も重要なことは、勉強に対する考え方をそれまでとは１８０度転換することです。つまり勉強は何かのためにあるもの、例えば、資格を取るためにやるもの、苦しいがやるものという考え方ではなく、勉強は楽しいものであり、それ自身のためにやるものと考えることです。

人間は勉強する動物

人間は勉強する動物です。人間は、生まれたときは無力です。ほかの動物は、生まれたときから、ほとんど自立できる。しかし人間は、生まれたときには無力です。ほとんど能力がない。

事後的に獲得する能力によって生活していく。事後的に能力を獲得していくプロセスが勉強です。全ての能力は、その後の勉強によって身につける。そうすれば、環境の変化に応じて、勉強する内容を選択できる。これは、進化した生物（学習期間は親の保護下にいられるだけ進化した生物）にとって、最適の生育法でしょう。

だから、勉強は人間にとって本質的な意味を持っているはずです。だから、それは、本来、人間にとって非常に楽しいこととして動機づけられているはずです。

人間あるいは人類の生存にとって不可欠な要素は、非常に強い喜びをもたらすはずです。食欲も性欲もそうです。個人の生存や種の生存にとって、必要不可欠だから、それを嫌がらないように動機づけられているはずなのです。

勉強もそうです。本来は、非常に楽しいものとして動機づけられているはずです。

ところが、第1章の2で述べたように、受験勉強をやらされるから、嫌になってしま

う。しかし、勉強の本来の姿が、高齢者になったらやっと分かるということです。

消費としての勉強

この期間の勉強は、投資としての勉強（入試のため、資格のため、時代の変化に追いつくため）ではなく、消費としての勉強（自分のため、楽しみのため、勉強のための勉強）だということができます。本書が主張しているのは、シニアにとっては、「投資」としての勉強より「消費」としての勉強が重要ということです。

ただし、本書は、投資としての勉強を否定しているわけではありません。これについては、第4章で述べます。

また、消費としての勉強がシニアの生活に何の役にも立たないというわけでもありません。第5章で述べるように、勉強を続けることは、メンタルな健康を維持するために重要な役割を果たします。

「勉強できる」のは、健康なメンタリティー

第4章では目的のある勉強について述べるのですが、勉強自体に意味があるというのが本書の立場です。

若いときには、達成したい目的があり、そのために勉強する。しかし、退職後はそのような目的を失う。それこそが問題です。

勉強を続ける環境や気持ちを作ること自体が重要です。勉強しているのは、高齢者のメンタリティーが健康である証拠です。それが、高齢者にとって最も幸福な状態です。そのような状態をどのようにして実現できるかということが目的です。

勉強して何が得られるか、例えば資格を得られるか、ということが問題なのではなく、勉強を続けていけるような健全なメンタリティーと環境とをどう実現するかが問題なのです。

勉強している状態ほど、幸福な時はない

2022年6月、83歳で太平洋をヨットで一人で横断した堀江謙一さんは、単独航海に先立って、航海に必要な技術を、勉強したに違いありません。この時、堀江さんは幸福だったと思います。その気持ちと、友人たちとの会合で認められたくて、時事問題を勉強することとは、基本的には同じことだと思います。そして、どちらも健全な状態だと思います。このことが高齢者の勉強の本質なのではないでしょうか？

勉強すれば知識が広がる。好奇心が満たされる。ただそれだけの理由で勉強する。

本章の1で述べたように、研究者が研究するのは、まさにこのためです。

ところが、多くの人は必要性で勉強を捉えています。勉強は、何か仕事のために必要だと思うから、こういう発想になります。しかし、本書が主張するのは、全然逆のことです。勉強は、それ自体が楽しいから、やらなければ損だろうというのが、本書の立場です。

第3章

記憶力の衰えでなく、好奇心の衰えこそが大問題

1.シニアになっても、知的能力は低下しない

物忘れは、知的能力の低下のためか？

「シニアになっても勉強を続けよう」。第1章でこのように述べました。

これに対して、高齢者になると、知的能力が低下してしまうのではないかという意見が提起されるでしょう。「勉強を続けたいのは山々だけれども、記憶力が落ちてしまうので難しい」という考えです。だから、「高齢者に勉強は無理だ」と言う人もいます。

実際、私自身が、忘れることが多くなったと感じることがあります。とくに、人の名前です。コロナ禍で会合が少なくなったこともあり、しばらくの間会わなかった人たちの名前を忘れていることに、ふと気がつきます。これで大丈夫だろうか？と、不安に思うことも少なくありません。

では、物忘れをするようになると、勉強はできないでしょうか？

実は最近のさまざまな研究は、これとは違う結論を出しています。これは大変励みになることです。

神経可塑性：勉強によって脳の細胞構造が変わる

アメリカの有名なサイエンス・ライターであるハンク・グリーン氏は、高齢者の知的能力に関して、非常に興味深い意見を述べています（注）。この考えを以下に紹介しましょう。

20年前には、大人になったら、脳がほぼ固定されてしまうものだと考えられていました。だから、勉強することはできるけれども、それによって脳が発達するというようなことは起こらないと、考えられていたのです。

一定の年齢後の脳の役割は、内臓を動かしたり、日常生活で必要な動作をすることなどに限られる、と考えられていました。

しかし、その後、脳機能イメージング技術が進歩し、脳の働きを示す鮮明な画像を撮ることができるようになりました。そして、多くの新しい事実が発見されたのです。

とくに重要な発見は、勉強をすれば脳の細胞構造が変わっていくことです。つまり、脳に新しい情報を入れれば、脳は一生にわたって変化し続けるということが分かったのです。

この発見は、すばらしいものだと思います。脳がこのように変化することは、「神経可塑性」と呼ばれます。生物は、生きている限り新しい状況に対応して変化し続けるのですが、生物学ではこの性質を、「可塑性」と呼んでいます。脳はこのような変化が得意だということになるわけです。

(注)ハンク・グリーン「大人になっても脳は成長する!勉強しているときに頭の中で起こっていること」ログミーBiz、2016年7月13日

脳の能力は向上し続ける

グリーン氏の記事によると、人間が生まれたときの脳細胞(ニューロン)には、2500本のシナプス(神経細胞同士が連絡する接点)があります。接続の数は、その後増えていって、3歳になると、約6倍、つまり、約1万5000本になります。

しかし、ここがピークで、その後は、シナプスの数は減っていくのです。このような過程を、「シナプス剪定」と呼んでいます。

シナプスの数だけからすると、人間の脳の能力は、3歳のときに一番高くなり、その後は、下がっていくように思えます。

しかし、実はそうではなく、シナプスの数が減るのは、必要なくなったシナプスを

減らしていくことなのだそうです。ですから、脳の能力は、この後も向上し続けることになります。

実際、人間は、その後、さまざまなことを学び、またさまざまな新しいスキルを身につけます。そして、ニューロンも成長していきます。

ここで重要なのは、脳の細胞が情報を保存している期間によって、ニューロンの接続が変わるということです。短期記憶で情報を保存する場合には、すでに存在しているシナプスの構造が変化して、樹状突起が強くなったり、増えたりします。つまり、新しい接続を作らずに、すでに存在している接続を強めるのです。

それに対して、勉強して得た知識など重要な情報の場合には、その情報を応用するたびに、長い期間にわたってニューロンが新しい接続を作るのです。これによって、情報を長期的に保存し、一生使えるようにできます。これが、長期記憶です。

以上で紹介したグリーン氏の見解は、高齢者の勉強を激励する大変力強いメッセージです。

「流動性知能」は低下するが、「結晶性知能」は低下しない

加齢と知能の関係については、多くの研究がなされるようになってきました。そし

て、数々の発見がなされています。例えば、知能について、次の2つの脳を区別するという考えが、ホーンとキャッテルという2人の学者によって提唱されました（注）。2つの区別とは、「結晶性知能」と、「流動性知能」との区別です。

結晶性知能とは、個人の長期間にわたる経験や、教育や学習を通じて獲得した知能です。これは、言語能力や、理解力、あるいは洞察力に関連しています。それに対して、流動性知能とは、新しい情報を獲得し、それを処理して操作していく能力です。

ホーンとキャッテルは、流動性知能は年齢とともに低下していくが、結晶性知能は、60歳頃まで上昇を続けて、その後も、ほとんど低下しないことを見出しました。

例えば、言葉を操る能力は結晶性知能に関連しているため、高齢者になっても、高い水準を維持できるのです。つまり、年齢を加えるのは、ポジティブな意味を持っているということになります。これも、高齢者にとっては、大いに励みになる研究結果です。

（注）西田裕紀子「高齢期における知能の加齢変化」健康長寿ネット、長寿科学振興財団、2019年2月1日

勉強は何歳から始めてもよい

高齢者の脳の研究は、日本でもなされています。東北大学の加齢医学研究所の瀧靖之教授は、脳のＭＲＩ画像の分析を行うことによって、認知症の発生の予防を研究しています（注）。

大人の脳も、子供の脳と同じように成長することができるということが、重要な発見です。新しいことを学ぶと、脳に情報伝達の回路ができる。勉強を続ける限り、そのような回路が確実に増えて、そして、新しい能力を身につけることができるというのです。だから、勉強は、何歳になって行っても有効なものだということになります。

これは、すでに述べた、海外での研究と同じような結果です。

「勉強したいと思うけれども、近頃物忘れが激しくなって」と心配している高齢者にとって、瀧教授の研究結果は誠に朗報です。こうした研究に力づけられて、ぜひ積極的に勉強を進めていくことにしましょう。

（注）「脳のパフォーマンス最大に　脳医学者お薦めの勉強法」NIKKEI STYLE、２０１８年12月6日。「シニアの勉強法、予復習で効果的に　何歳から始めても大丈夫」１００歳時代、ラ

イフプラン　産経新聞、2022年8月3日

ストレスなく学ぶことで脳のポテンシャルが最大化する

瀧教授は、また、好奇心が非常に重要な役割を果たすことを指摘しています。勉強を嫌いだと感じると、ストレスホルモンが分泌されて、うまくいかない。しかし逆に、勉強が好きだと考えると、記憶がより定着しやすくなるということになります。脳の働きをよくするには、運動することも重要です。散歩などの運動が、脳の働きを活性化してくれるそうです。

以上の研究成果を見ていると、脳の働きについて私たちが普段考えている内容は、間違っていることもあり、また正しいこともあることに気づかされます。

「歳をとれば脳の働きが弱まる」というのは間違った考えです。その反面で、「好奇心の強さが勉強を進めていく」というのは正しい考えです。

好奇心の強さが勉強を進めていくというのは、本書の第2章で述べた考えが正しいことを示しています。

このような研究結果は、われわれが勉強を進めていく上で、励みにもなるし、またどのような方法で進めたらよいかという指針を与えてくれることにもなります。研究

結果を参照することで、正しい方法で勉強を進めていくことができます。これまで見てきた研究は、本書で提唱している勉強法が正しいことを立証してくれるものです。

歳をとらないと悪魔の言葉は分からない

人間は歳をとるほど賢くなるだろうとは、私はずっと前から信じていたことです。歳をとるほど経験が増え、知識も増えるからです。そして、『ファウスト』の中で、悪魔メフィストフェレスが、つぎのように言っているからです（注1）。

Der Teufel, der ist alt, So werdet alt, ihn zu verstehen!

（「悪魔は年寄りだ。だから、歳をとらないと悪魔の言葉は分かりませんよ」）

メフィストの言葉が正しいとすると、「若い人には世の中の仕組みは理解できない」ということになります。

ゲーテ自身も、エッカーマンとの対話で、「歳をとると、若いころとはちがったふうに世の中のことを考えるようになるものだ」と語っています（注2）。

私も、この歳になってから、やっと世の中の仕組みが分かってきたような気がします。ほんの少しずつであり、もちろんゲーテには及びもつきませんが、メフィストフェレスは及第点をつけてくれるでしょうか？

（注1）Johann Wolfgang von Goethe, *Faust* II, Vers 6815 ff
（注2）エッカーマン『ゲーテとの対話』（第2部1829年12月6日）、山下 肇訳、岩波文庫・改版、1968年

「年齢の問題を政治的な争点にするつもりはありません」

右に述べた信念を裏付けるもう一つの例を示しましょう。

1984年のアメリカ大統領選で、共和党候補はレーガン大統領、民主党候補はモンデール前副大統領でした。テレビ討論会で、ボルチモア・サンの記者がレーガン大統領に質問します。「あなたはすでに歴史上最高齢の大統領です。モンデール候補との討論の後、あなたは大変疲れた様子だったと、あなたのスタッフは話しています。ところで、ケネディ大統領は、キューバ危機の際に何日も眠れなかったそうです。そうしたことになった場合、あなたのように高齢な方は、激務に耐えられないということはないでしょうか？」

レーガンは、静かに答えます。「そんなことは決してありません」。ここで一息つき、深刻な表情で、つぎのように続けました。

「私は、年齢の問題を政治的な争点にするつもりはありません。したがって、私は、対立候補の若さと経験のなさを、政治的に利用しようなどとは考えていないのです」

会場は爆笑に包まれ、モンデールも思わずつられて笑ってしまいました（注）。

レーガンは続けて、「セネカだったかシセロだったかが言ったとおり、シニアが若者を指導しないと、国家は成りたたないのです」と言ったのです（即興で、です）！

追い込もうとした記者は、レーガンに完敗しただけでなく、彼に政治的得点を与えてしまったのです。この選挙においてレーガンは、モンデールの地元であるミネソタ州を除く49州を獲得するという地滑り的・歴史的・大勝利を実現しました。

（注）このシーンは、左記で見ることができます。
https://www.youtube.com/watch?v=0RtXmnUe9s0

2.好奇心こそ、さまざまな知的作業の源泉

好奇心があるから研究する

シニアにとって勉強の妨げになりうるのは、記憶力よりも好奇心の低下です。好奇心こそ、さまざまな知的作業の源泉です。2021年のノーベル物理学賞受賞者の真鍋淑郎博士も、それを強調していました。まったく賛成です。

私がとくに強調したいのは、好奇心があるから仕事をし、そして仕事をするから好奇心が生まれるということです。一日中テレビを見ていては、好奇心は湧かないでしょう。

そして、書いたものを読んで貰って評価されることほど、嬉しいことはありません。私は、この中毒症状になっているのではないかと、最近思っています。何を取り上げられてもよいから、書く仕事を取り上げないでほしいと、心の底から願っています。

勉強への欲求は人間の本能

好奇心は勉強の最大の原動力です。知識が増えると、好奇心が高まり、さらに勉強

したくなります。

「知りたい」という欲求は、人間の本能です。なぜなら、人間は力ではなく、知的能力によって他のあらゆる動物よりも優れているからです。

ところで、人間は生まれたときから食物連鎖の頂点に立てるわけではありません。第2章の3で述べたように、生まれたときの人間は、他の動物とは異なり、能力がほとんどありません。肉体的能力も低く、知的能力も非常に低いのです。

そのまま一人で森の中に放置されれば、他の動物の餌食になるか、または死亡します。肉体的能力は時間と共に向上しますが、知的能力の多くは学習によって得られます。人間だけが勉強によって進歩します。このことから、勉強は人間を特別な存在にしている要因であることが分かります。

人間は人生の多くを勉強に費やしています。大学まで進学する場合を考えると、0歳から22歳までが学習期間、22歳から64歳までが労働期間、そして65歳以降が引退後の期間となります。人間は生涯の4分の1を学習に使っているのです。大学院まで進むと、学習期間は3分の1にも延びます。このような長い期間を学習に費やす生物は人間の他にはいません。

3.知識が深まれば好奇心が強くなる

知識があれば興味が湧く

好奇心があると知識が増えるというのは、当然です。私は、この逆命題も真だと思っています。つまり、知識が増えると好奇心も強くなるのです。興味のもとになるのが知識なのです。

例えば、飛行機の窓から外の景色を眺めるとしましょう。その風景がどこの土地なのか知っていれば、「あの町は上から見るとこうなのか」と興味が湧きます。一方、知らなければ特に関心を払わず、記憶にも残らない。人は興味があるから勉強する気になりますが、勉強して知識を得ると、それによって興味を掻き立てられて、さらにまた学びたくなるのです。

知識が蓄積されると好奇心が強まる

公園を歩いているとき、樹木の名前を知っていれば、より注意深く観察するようになります。鳥や昆虫の名前を知っていると、もっと詳しく観察したくなるのです。そして、知識が深まるほど好奇心も増します。知識と好奇心は互いに強化し合います。

これは、さまざまな場面で経験します。夜空を眺めていても、星座を知っているか知らないかで、その感じ方は大きく異なります。星座を知らずに漠然と眺めているだけでは、星空の美しさを感じることは難しいでしょう。

南半球を旅行したにもかかわらず、南十字星を見ていないという人は多いのです。何という貴重な機会を無駄にしていることでしょう。仕事で南アフリカやオーストラリアに何年も駐在していた人でさえ、南十字星を見たことがないと言います。

私にとって、それは信じられないことです。南十字星のあたりの星空を双眼鏡で見ると、息を呑むほど美しいのです。南十字星はオーストラリア南部まで行けば一年中見ることができますが、日本からは見ることができません。

歴史を知ると、旅行が楽しくなる

歴史の学習も同様です。外国の町や日本の地方の町を訪れると、興味が湧き、その地の歴史を調べたくなります。そして、歴史を知ることで、旅行がさらに楽しくなります。

アイルランドの歴史を知っていると、アメリカ映画の理解も深まります。アメリカの映画業界にはアイリッシュ・アメリカンが多いからです。『風と共に去りぬ』、『黒水仙』、『静かなる男』、『ミリオンダラー・ベイビー』などは、アイルランドの歴史を知らなければ理解できないでしょう（第10章の6参照）。

バレエも同じで、踊っているバレリーナが誰なのか知っているか否かで、観る楽しさは大きく変わります。数年前に制作されたＤＶＤで、今では世界的なバレリーナがグループの一員として踊っているのを見つけたりすると、非常に楽しいものです。

「無知であることのコスト」を痛感した私の経験

私自身、知識がないために、貴重なチャンスを有効に活用せず無駄にした経験もあります。今でも後悔しているのは、タキシラ遺跡を訪れた時のことです。

パキスタンの首都イスラマバードで講演する機会があり、その際に訪れたのですが、タキシラ遺跡がガンダーラ遺跡の一部であることを知らず、ただぼんやりと見てしまいました。

日本に帰った後で、これがガンダーラ遺跡だったことを知り、地団太を踏みました。ガンダーラに行けることなど、もう二度とありえません。ゲリラが出没する地域に、銃を持った護衛つきで、イスラマバードから一日かけて行ったのですから。

「豚に真珠」そのもの。「野口悠紀雄にガンダーラ遺跡」と自嘲したくなります。絵画においても同様です。フィレンツェのウフィッツ美術館やパリのルーブル美術館には何度も訪れたのですが、レオナルド・ダ・ヴィンチの作品については、「受胎告知」と「モナリザ」にしか注意が向いていませんでした。その結果、「東方三博士の来訪」、「岩窟の聖母」、「キリストの洗礼」などを見逃してしまったのです。美術館を訪れた時には、これらがいかに偉大な作品であるかを知らなかったからです。「ルーブルと言えばモナリザだけ」とは、恥ずかしい限りです。

学ぶのに遅すぎるということはありませんが、「もっと知識を持っていれば」と後悔することはたくさんあります。それが取り返せないこともあります。無知であることのコストは、想像以上に大きいのです。

「興味が湧かない」と感じるときほど「学び始める」チャンス

私は昔から経済について勉強してきました。しかし、勉強すればするほど、日本の賃金はなぜ上がらないのか、一方でアメリカや韓国はなぜ成長率が高いのか、と謎が深まっていきます。その謎が好奇心を刺激して、勉強への意欲は高まります。

人間は本来、年齢とともに知識が積み重なり、それに伴ってより高度な知識や関連分野の知識への欲求が強くなっていくはずです。

興味と知識は密接につながっています。興味を失うと勉強しなくなり、勉強せずに知識が古くなったり忘れたりすると、さらに興味が失われていく。この悪循環こそが勉強の最大の敵です。もしこのサイクルが止まっているのなら、いますぐ再循環させなくてはなりません。

「興味が湧かない」と感じるならば、それは「学び始める」チャンス。学ぶから、興味が湧く。学びはいつでも「起点」になるのです。

コンピュータとの長い付き合い

私はPCやスマートフォンをかなり使っていますが、それは、大型コンピュータの時に散々苦労させられたからだと思います。

最初に大型コンピュータを使ったのは、大学3年生のとき（昭和36年：1961年）。夏休みの工場実習で三菱造船（現・三菱重工）長崎造船所に2週間くらい滞在。IBMのコンピュータを使いました。多分、日本で初めて使えた大型コンピュータの一つだと思います。「コンパイラ」という装置で穿孔テープを作り、それをコンピュータに読み込ませていました。ニュートン法で方程式の解を求めるプログラムを通すことに成功。

大学4年の時には、日本が最初に作った大型コンピュータTACの中に入りました。「中に入った」というのは、東大総合試験所の大きな部屋が、まるごと一つのコンピュータだったからです。棚に真空管がずらっと並んでいました。

1970年代の初め、アメリカ留学中、学生の身分でコンピュータを使うのは大変なことでした。申し込んで待たなければならないからです。その後大学で職を得てからはコンピュータを使える身分になったのですが、大量のプリントアウトに悩まされました。

1970年代の初めに登場した小さな卓上関数電卓HP35は、個人が使える世界で初めてのプログラム内蔵型コンピュータで、それまで大型コンピュータの使用で順番待ちをすることに悩まされ続けてきた身としては、自分だけが使えるコンピュータの登場に感激しました。その利用に夢中になり、これで解ける問題はないかと探し回ったくらいです。その後、コモドールのPCが登場。早速購入して、ゲームを作りました。

無知から新しいものは生まれない

知識を持つことは、実用的な目的にも役に立ちます。これは当たり前のことです。

知識が新しい発見を促します。科学上の発見は、それまでの知識の上に立ってなされることが多いのです。知識があるからこそ、新しい発見があります。

ビジネスモデルの場合も同じです。企業が直面している問題の解決のために、過去の経験のビジネスモデルが役に立ちます。そうした事例を知っているからこそ、発見ができます。無知の状態から新しいものが生まれることはありません。

知識を得るために必要とされるコストが低下したので、知識を得ようとすれば、簡単に手に入れられるようになりました。ただし、知識が重要な役割を果たしていることに変わりはありません。

知識を多く持つ人ほど、多くの知識を欲しています。その意味において、知識を多く持つことが重要であることに変わりはありません。「望めば簡単に手に入るようになった」のだから、知識を持っていることの重要性は増えたと言えるでしょう。知識そのものが直接的な意味で役立つわけではありませんが、知識が触発する発見が重要なのです。

第4章

学び続けるために知っておくとよいこと

1.いつまでも働き続けるための勉強

いつまでも働き続けられるなら、最も望ましい

第1章では、シニアとは退職後の人々であると述べ、第2章では、シニアの勉強とは仕事などの目的のためにするものではない、と述べました。

しかし、定年退職後も仕事を続けることができれば、最も望ましい姿です。収入を得られるだけでなく、社会とのつながりも維持できるし、生きがいもあります。

私自身は幸いなことに、60歳で東京大学を定年になった後、大学で教え続けることができました。それから後も、さまざまな記事や書籍を書くことによって、多くの人に私の考えを読んでいただく機会を持ち続けています。このような機会を持てるのは、何よりも嬉しいことで、私の最大の生きがいになっています。

リスキリングが不可欠なこれからの高齢社会

ただし、働き続けるためには、社会の変化に応じて、自らのスキルを引き上げ、新しい能力を獲得する必要があります。これが「リスキリング」です。

そして、これは、目的のある勉強です。第2章で述べたことは、目的のある勉強の必要性を否定するものではありません。

社会の変化は著しいので、シニアはさまざまな面でリスキリングを要求されます。仕事を続けている人であればもちろんのこと、そうでなくてもリスキリングが必要とされます。

特に重要なのは、新しい情報技術や新しいデジタル技術に対応することです。具体的に言えば、スマートフォンの使い方に習熟することです。これができるかどうかで、シニアの生活の質は大きく変わります。この問題については、第8章で述べることにします。

仕事をしている人であれば、リスキリングは不可欠なことです。リスキリングによって仕事を続けることができます。そしてさらに、退職後も、所得稼得と結びついた生活を送ることができます。

20年後、30年後の日本では、公的年金や雇用延長に頼れるかどうか、分かりません。日本の高齢化社会はかなり厳しいものになるでしょう（注）。

ですから、所得を得られるための資格を取ることが望ましいかもしれません。あるいは、独立した仕事のために必要なことを勉強する。そのための勉強は、早い時点から始めることが必要かもしれません。

（注）野口悠紀雄『2040年の日本』幻冬舎新書、2023年

2. 組織に依存せず、いつまでも働き続ける

本当の「働き方改革」とは、組織依存からの脱却

しばらく前に、政府が提唱して、「働き方改革」ということが言われました。しかし、私のみるところ、実際に議論されたのは、「働かされ改革」でした。

それは、「組織の中で働くことを前提とし、そのルールを従業員の立場から考え直すということが中心だった」という意味です。具体的には、超過勤務の制限などが問題とされました。

確かにそれは重要なことです。しかし、そうしたことだけが働き方改革ではありません。本当の働き方改革とは、組織から独立した働き方を求めることです。

日本人は、これまで組織に依存しすぎ、それが日本の活力を奪ってしまったのです。

いま、デジタル技術の助けで、個人が組織から独立して仕事をすることが可能になってきています。

人生100年時代には、いつまでも働けることが必要

組織に頼って仕事を続けようとするのには、限界があります。いつまでも仕事を続けるためには、組織に依存せずに自分で働けることが必要です。

ダニエル・ピンクは、『フリーエージェント社会の到来――組織に雇われない新しい働き方』の中で、独立自営業の世界が始まると指摘しました（注）。アメリカはすでに、彼の描いた社会に近くなっています。

リモートワークが利用できるようになると、独立自営への動きは加速されるでしょう。なぜなら、独立したひとまとまりの仕事を組織から請け負いやすくなるからです。

例えば、営業に自信がある人は、これまでのように会社に雇用されるのではなく、会社と業務契約を結んでオンラインで行うことができます。営業という仕事は成果を把握しやすいので、もともと組織の一員としてやるよりは、独立して業務委託契約で行うほうが、お互いにとって有利なはずです。そのための技術的な条件が、オンラインによって整備されたのです。

同じことが、さまざまな仕事で可能です。例えば、フィットネスのインストラクター、楽器のインストラクター、ヨガのインストラクター等々。

こうして、定年退職になっても、何歳になっても、自分の力を利用してオンラインで仕事ができるようになるでしょう。これは、人生100年時代の新しい可能性を開くでしょう。

（注）ダニエル・ピンク『フリーエージェント社会の到来（新装版） 組織に雇われない新しい働き方』池村千秋訳、ダイヤモンド社、2014年

組織を離れてどのように仕事をすることができるか？

定年退職後に、ある程度の額の所得が得られるような仕事を見つけることは、決して容易なことではありません。

税理士や司法書士の資格を持っていれば、かなりの可能性がありますが、そうであっても、資格を持っているだけで、自動的に仕事が得られるわけではありません。どのような仕事が得られるかは、人的なネットワークに依存している部分が大きいと思います。転職サイト等で、在宅でもできる仕事を見つけられるようになってきましたが、シニア向けの仕事は、あまり見受けられません。

人的なネットワークは、若い時からの努力で築き上げていくものです。それをいつ

までも維持することが必要です。そうしたネットワークは、シニアになってから仕事をする場合に重要な役割を果たすことになるでしょう。

報酬がなくても、やりがいのある仕事はある

理想的な形は、これまでやっていた仕事の経験や知識を何らかの形で活かしながら、自分自身の活動を提供することです。しかも、ある程度の所得が得られるような仕事が欲しいものです。

例えば、金融関係の仕事をしていた人であれば、金融のさまざまなノウハウを持っているでしょう。それを用いて問題解決の相談事に応じるといったことがあり得るのではないでしょうか？

ただし、そうした仕事を始めたとしても仕事を得られるかどうかが問題になります。ウェブにサイトを開設しても、アクセスがなければ話になりません。やはり実際の仕事を得るには、人的なネットワークが重要な役割を果たすでしょう。

シニアになってからの仕事は、必ず報酬を伴うものとは限りません。さまざまな相談事に応じる、あるいは、地域活動に貢献するなど、報酬がなくてもやりがいのある仕事は多いと思います。そうした活動にも参加する努力をしましょう。

3. 高齢者が働く場合に注意すべきこと

申告をし、インボイス制度に対応する必要がある

組織から離れて働き始めると、組織で働いていた時とは違う、さまざまな問題が発生します。

まずは税金の問題です。企業に雇用されて給与所得者として働いている場合には、納税について悩むことはほとんどありません。源泉徴収され、年末調整で済んでしまう場合がほとんどだからです。自分で申告を税務署に出す必要はありません。日本のサラリーマンの多くは、税務署に申告することなく、これまで生活してきたと思います。

しかし、自分で仕事をするようになれば、自分で確定申告をする必要があります。これはかなり面倒なことです。支払調書や領収書など、さまざまな書類を保存・整理し、それらから所得を計算して、税額を算定する必要があります。

それだけではなく、消費税の問題もあります。２０２３年10月からインボイス制度が施行されました。課税事業者を選択すれば、インボイスを発行しなければなりませ

ん。これも事務的に面倒なことです（そして、もちろん、消費税を納税する必要があります）。

所得が少なければ非課税免税事業者になることができ、インボイスの必要はなくなります（また、消費税の納税も必要ありません）。しかし、支払者が、インボイスがない人に関しては、消費税の税額控除が受けられないため、これを嫌う可能性があります。この問題はかなり厄介なものです。

年金の減額や、医療費の自己負担額の増加もある

所得があると、年金が減額されることがあります。また、医療費の自己負担が多くなる場合があります。このように、現在の日本の税制や社会保障制度は、働くことに対してかなり難しい条件をつけています。

私は、年金の減額制度等は高齢者の就労を阻害するものであり、望ましくないと考えています。また、医療費の自己負担についても、本来は所得が高い人の負担を増やすのではなく、資産が多い人の負担を重くすべきだと考えています。そうした制度が正しい制度だと考えているのですが、しかし、現実の制度がそうなっていないことは動かせません。

高齢者が仕事をする場合、このような問題があるということを十分に知っておく必要があります。

4.リスキリングで何を学ぶべきか

リスキリングを事業者への補助に終わらせないためには

リスキリングが重要であると、さまざまなところで言われています。岸田文雄首相も、リスキリングの支援に5年で1兆円を投じるとしました。

こうした時世を背景に、リスキリングのためのオンラインセミナーが、多数提供されています。そして、政府や自治体による補助制度がいくつも作られています。企業がこうした補助金を受け、社員にセミナーを受講させるという動きが広がるでしょう。

それによって、社員の知識は広がるかもしれません。しかし、単にセミナーを開催したところで、社員のスキルが向上する保証はありません。結局は、オンラインセミナー事業者への補助だけで終わってしまうことにはならないでしょうか?

リスキリングの中身が問題

リスキリングのために勉強をするのは、大変よいことです。しかし、何を学ぶかが問題です。

多くの企業が準備しているリスキリング・プログラムを見ると、AIやデータサイエンスなど、先端分野の動向を学ぶといった内容のものが多いようです。こうしたことは、一般教養講座としては意味があるでしょう。しかし、仕事に役立つかどうかは、大いに疑問です。

リスキリング教育の内容を見ると、首をかしげたくなるようなものが多いのです。デジタル利用といっても、普通の人の多くの仕事について、実際的にデジタル技術を使うわけではありません。

例えば、営業の仕事をするにあたって、AIの知識はあまり必要ではありません。AIに関する知識をいくら広げても、それだけで営業活動に十分であるわけではありません。もっと重要なのは、どうやって相手に興味を持ってもらい、分かりやすく説明するかといった類のことでしょう。そうした事柄について深く学ぶのであれば意味があります。

しかし、営業の仕事についても、Zoom会議をするというようなことは必要になります。ですから、Zoom会議のやり方に慣れる必要があります。それだけではなく、Zoom会議の場合には、通常の営業活動とは違う方法があるでしょう。

こうしたことを学ぶには、企業が用意するプログラムでは限度があります。自分が必要とするリスキリングを自分で探し出してくる必要があります。標準的なカリキュラムはありません。誰にとっても同じような内容を学べばよいわけではないからです。

さらに、時とともに学ぶべき内容が変化するし、現在の水準は人によって異なります。だから目標としてどれだけの水準を目指し、そこにたどり着くのにどれだけの勉強が必要かは、人によって違います。このように、カリキュラムの選択は、難しいことです。この問題については、第7章で再び取り上げることとします。

表面的知識よりも評価能力が重要

さまざまな変化に対応できる基礎的な知識を身に付けることが重要だと考える人が沢山います。では、データサイエンスの最先端で何が行われているか、最先端のＡＩが何をやっているか、などについての知識が、どんな仕事でも必要なのでしょうか？

企業のリスキリング教育では、そうしたことの講座を選択している場合が多いように見受けられます。確かに、いま最先端で何が起こっているかを知るのは、よいことです。しかし、それを知ったところで、自分が同じことをできるわけではありません。

では、機械学習やディープラーニングの手法を学ぶ必要があるでしょうか？　しかし、最初からそれを目指すのも難しいでしょう。重要なのは、事実を学ぶことよりも、それらを評価できる能力を身に付けることです。

最も重要なのは、統計的な分析法

リスキリングとして学ぶべき内容は、人によって大きく違うのですが、多くの人にとって必要なのは、問題を解決するための手法を学ぶことです。最も重要なのは、数学的な分析の能力をつけることだと思います。とくに重要なのは、統計的な分析手法です。

これは、文科系の人にとっても、理工系の人にとっても、重要なことです。文科系の人は、そもそも数学は勉強しなくてもよいと考えている人が多く、統計学も十分に勉強していません。しかし、これでは、例えば、金融の基本的な考え方を理解することもできません。

他方で、理工系の人が勉強した数学は、解析学（微分積分学）が中心になっています。統計学については、十分に勉強ができていないのです。統計学の分析が、理系の人にとっても文科系の人にとっても重要だと言うのは、そのためです。

なお、ChatGPTが、リスキリングに大きな影響を与えます。これについては、本章の5で述べます。

5.高齢者の学びの状況

高齢者の勉強の状況

「令和3年版高齢社会白書」は、高齢者の学習・社会参加の調査結果を紹介しています。60歳以上の者のうち、この1年くらいの間に学習をしたことのある人は、60代では55・0％、70歳以上では42・5％となっており、70歳以上で低くなります。学習の形式は、60代では「インターネット」が最も多く、16・5％である一方、70歳以上では「公民館や生涯学習センターなど公的な機関における講座や教室」が16・2％と最も多くなっています（同白書の図1―2―3―3を参照）。

60〜69歳で81・4％、70歳以上で62・6％の人が「学習したい」と回答しています。これから学習するとすればどのようなことを学習したいかを聞いたところ、60〜69歳では「健康・スポーツ（健康法、医学、栄養、ジョギング、水泳など）」が39・8％と最も多く、70歳以上では「趣味的なもの（音楽、美術、華道、舞踊、書道、レクリエーション活動など）」が31・5％と最も多くなっています（同白書の図1―2―3―4を参照）。

東京セカンドキャリア塾

「東京セカンドキャリア塾」は、東京都が実施しているプロジェクトで、高齢者が「生涯現役」で活躍できる社会の実現を目指しています。意欲のあるシニアやシニア予備軍が、今後のセカンドキャリアに必要な知識を楽しく学べる場として設けられています。

都内在住または在職の55歳から64歳、65歳以上のコースが設けられ、参加者は自身の経験やスキルを活かしたセカンドキャリアを見つけるための学習を行います。令和4年度の事業内容をみると、つぎのとおり。いずれも受講料無料です。

65歳以上対象コースの場合、受講対象者は、1958（昭和33）年3月31日までに生まれた都内在住または都内企業在勤者。定員は150名（各25名×6クラス）。受講期間は6か月／週1～2回。

同様の試みが、さまざまな地方自治体で行われています。例えば、札幌のアクティブシニア北海道、大阪のOSAKAしごとフィールド、名古屋のなごやジョブサポートセンター、福岡のシニアお仕事ステーションなど。

こうした講座に参加するのは、大変よいことです。しかし、ここで本当に知りたいことが学べるかといえば、疑問である側面もあります。

それよりは、インターネットで調べるほうがもっと効率的でしょう。次項で述べるChatGPTを用いて、はるかに有益な勉強を実現することができます。

講座参加のもう一つの目的として、人間と人間の新しいコミュニケーションを得られるということがあるかもしれません。しかし、これも実現できるのかどうか、分かりません。そうしたことが望ましいと思っているのかどうかは、人によって違うと思います。参加者の中には、コミュニケーションが得意でない人もいるでしょう。

大きな変化をもたらす生成AI

以上で述べたことに関しては、大きな条件の変化が生じています。ChatGPTなどの生成ＡＩがビジネスに取り入れられ、人々の働き方が大きく変わると予想されるからです。

これは、まったく新しい技術であるために、どのような変化が起こるかを正確に見通すことができない面もあります。ただはっきりしているのは、これが、産業革命、あるいはそれ以上の大きな変化であることです。そして、これまで続いてきた自動化がブルーカラーの仕事に関わるものであったのに対して、生成ＡＩはホワイトカラーの仕事を自動化することです。

これについては、さまざまな分析や調査がすでに行われています。それらによると、社会全体の仕事の4分の1程度が生成ＡＩによって自動化されるだろうとされています。ホワイトカラーの仕事については、半分程度が自動化される可能性があります。

したがって、ホワイトカラーの半分が、仕事を生成ＡＩに奪われて失業する、あるいは新しい仕事を見つけざるを得なくなるという事態が、決してありえなくはないのです。われわれは、これまで経験したことのないような大きな変化に直面しようとしています。せっかく苦労して資格を取ったのに、仕事がないという事態になることは大いに予想されます。

これからの社会が、生成ＡＩの発展を軸として展開していくことは間違いありません。この大きな変化を無視したり、背を向けたりすることはできません。この問題については、第9章で詳しく考えることにします。

第5章

定年シンドロームに陥らないため勉強する

1. 定年クライシスを勉強で打破する

定年後の居場所が家庭にない

定年退職すると、生活スタイルの激変は避けられません。それまで会社の仕事だけの生活をしていた人には、ほぼ確実に生じます。環境が大きく変わると、メンタルに不調をきたす人が増えます。

日本の場合、会社の中でずっと生きてきた人が多く、それらの人々は、定年になって全く違う世界の中で生活することになる。しかし、地域の中でうまく過ごすこともできない。そのような状況にある高齢者が、非常に多くなってきているのは、間違いなく事実です。

「定年うつ」とは、仕事一筋だった人が定年退職を迎え、急にやることがなくなり、自宅に引きこもって暮らすうちに、うつ病になってしまうことです。趣味もなく、人間関係のほとんどが仕事に関連したものだったので、会社で働かなくなると、社会とのつながりが失われてしまいます。

仮に十分な年金で生活できる経済的に恵まれた人でも、生活スタイルの変化は避けられません。電話で誰かと話すことも考えられますが、相手の迷惑になる場合もあるでしょう。

奥さんから「週3日は外出して」と言われて、一日中電車に乗っていたという人もいます。コミュニティの集まりに参加しても、そこで自分が無視されていると感じて、怒ってしまう人もいるでしょう。

さまざまな条件が必要だが、勉強は重要

幸せなシニア生活には、さまざまな条件が必要です。それらをすべて満たすのは、決して容易でありません。

重い病気にならず、健康でいることは、どうしても必要な条件。それを満たせても、60代以降に職があるかどうかが問題になります。

「人生100年時代」では、シニアになっても働くことが当たり前になると考えられます。しかし、「存在を認めてほしい」「社会と関わり続けたい」と考えて職を求め、ハローワークに通っても、求人があるのは限られた職種というのが現実でしょう。

第4章でも述べたように、40代、50代のうちから勉強を続け、それまでの本業以外にできる仕事を見つけ、定年後に備えることが必要です。

資格を取り、仕事を続けられれば、コミュニケーションもでき、充実した生活を送れるでしょう。ただし、資格を取ることと、仕事を得られるかどうかは別のことです。経済全体では労働需給は逼迫するので、好みをいわなければ仕事はあるでしょう。ただし、肉体労働、低賃金になるかもしれません。

定年退職後の生活の経済的な側面は、さまざまな難しい問題を含んでいます。本書は、これらすべての問題を扱おうとするのではありません。

本書が指摘するのは、「誰にでもできてさまざまな効果があるのは勉強だ」ということです。それが収入につながれば一番よい。仮にそうならなくても、さまざまな効果があります。そして、勉強をすることに多大の出費は必要ありません。60代になる前に、勉強と（会社外の）人脈を作ることができれば、理想的です。

2.コロナで増えた高齢者のフレイル

コロナで高齢者のフレイルが増えた

コロナ禍で人との接触機会が減ったため、高齢者の活力低下現象が増えました。この予防のためにさまざまな取り組みが行われています（注1）。

コロナで高齢者の「フレイル」が増えたといわれます。「フレイル」（frail）とは、健康と要介護の中間的な状態で、筋力や心身の活力が低下した状態です。国際医療福祉大学のグループの調査によると、高齢者のフレイルの割合は、2017年に11・5％だったのが、2022年には17・4％に増えました。

この他にも、コロナの影響でフレイルが増加しているという報告が、いくつもなされています。外出自粛が長期間にわたったため、体を動かさなかったり食事が偏るなどして、体力が低下したのです。

また、コロナのために地域活動が中止になり、友人との交流や外出の機会が減ったことも大きな原因だとされています。集まりへの参加者が、コロナ前に比べると3分の1になったといわれます。人との会話が減る生活が続いたため、気持ちが落ち込んだりして、身体や認知機能に影響が出るのです。

なお、フレイルの基準としては、つぎのようなものが採用されます（注2）。

・体重の減少（意図しない年間4・5kg以上もしくは5％以上の体重減少）

・疲労感（「何をするのも面倒」だと週3〜4日以上感じる）

・活動量の減少、歩行速度の低下、握力（筋力）の低下

（注1）「コロナ自粛、増えたフレイル」朝日新聞、2023年6月25日

（注2）Linda Fried博士が提唱した「CHS基準」を元に、国立研究開発法人 国立長寿医療研究センターが2020年に改訂した「日本版フレイル基準」

フレイルの影響は深刻、「物忘れ」も増加

フレイルの影響は深刻です。新潟大学の齋藤孔良助教らの研究チームの調査によると、高齢者のうちフレイルの人は、健康な人と比べて、季節性インフルエンザに1・36倍かかりやすいことが分かりました。また、感染した際に3・18倍、重症化しやすいことも明らかになりました（注1）。

自粛生活で家にこもっていた影響で、それまで杖もつかずに元気に歩いていた高齢

者が、車いす生活になったケースも多いそうです。

「物忘れ」の増加も深刻です。筑波大学大学院の研究グループは、外出自粛が高齢者の健康に深刻な影響を与えているとの調査結果を発表しました（注2）。40代以上の17％が「自分の健康状態が悪くなっている」と回答。60代以上では、27％の人が「同じことを何度も聞くなど、物忘れが気になるようになった」、50％の人が「生きがい、生活意欲がなくなった」と回答しました。

外出できない状態が続くため、運動不足による体の不調だけでなく、認知機能の低下や精神状態の悪化も生じているのです。

（注1）テレ朝news、2023年6月23日

（注2）筑波大学大学院の研究グループの調査結果、2021年3月23日 NHKニュース

要介護を予防する、自治体の取り組み

フレイルを防ぐためには、運動、栄養、社会参加の3つが重要で、一つでもかけると衰弱が進むとされています。

また、フレイルは「可逆」、つまり、対策を講じることによって、進行が緩やかに

なるだけでなく、健康に過ごせていた状態に戻すことができるそうです。

フレイルによって要介護者が増えるのを予防し、高齢者の健康寿命を延ばすために、地方自治体も、フレイル予防に取り組んでいます。

人口およそ4万で約3割が高齢者の兵庫県西脇市では、「1週間、誰とも話していない。日本語を忘れそうだ」との住民の声に応えて、「健幸運動教室」を始めました。体を動かすだけでなく、科学的な根拠に基づいた「フレイル予防」を掲げ身体機能の維持を目指します。長崎県佐世保市は、高齢者と子供が手紙をやりとりする取り組みを始めました。子供にも理解しやすい簡単な言葉で手紙を書いたり、感情を表したりすることで脳が刺激され、認知機能を維持することができるとされています。

60代の93%がスマートフォンを持つ時代

運動、栄養、社会参加という3つの要因は、独立ではなく相互に関わり合っていると思われます。ですから、どれかの要因を変えれば、他の要因もその影響で変わるでしょう。

最も重要なのは、他の人との会話を進めることではないかと、私は思います。この点から言うと、地方公共団体による以上のような取り組みは確かに評価されます。

しかし、その具体的手段は、人々が会う機会をコロナ前の状況に戻そうということが中心になっているのではないでしょうか？

コロナによってさまざまな条件が変わったことに注意を向ける必要があります。例えば、Zoomなどのオンラインミーティングは、コロナ以前であれば技術的に可能であっても、人々がそれを受け入れませんでした。ところがコロナによってごく普通のミーティング形態として多くの人が受けいれるようになったのです。

このような新しい方法での人々とのつながりを求めていく方向が、可能になっています。こうした方向を積極的に探ることによって、新しい可能性が広がります。地域コミュニティの集まりと言われても、人生の大部分を会社人間として過ごしてきた人には、馴染めない場合が多いでしょう。だから、地域コミュニティの集まりの他に、もっとさまざまな手段を探ることが求められます。

その際に重要なのはＩＴの活用です。ＩＴはシニア向けでないという認識は、もはや、古くなっています。実際、シニアのスマートフォン所有率の上昇傾向は続いています。ＮＴＴドコモの社会科学系の研究所であるモバイル社会研究所の調査によると、２０２３年における60代のスマートフォン所有率は、２０２２年から2ポイントあがり、93％に達しました。また、70代も22年より9ポイント増えて、79％となりました。

高齢者にとって、ＩＴ機器はごく普通の日常の道具になっているのです。この点について、われわれは認識を改める必要があります。

ＩＴが高齢者の力強い味方になることについては、第8章で詳しく述べます。また、第10章で述べるChatGPTとの対話は、きわめて強力な手段になるでしょう。

3.歳をとると心配性になる：私自身の経験

無謀だった若い頃

ここで、私自身のことについて述べたいと思います。今振り返ってみると、若い頃の私は、自身の健康状態をあまり気にしていませんでした。

20代から30代の時に合計3年間ほど留学生としてアメリカにいました。この時には健康保険がどうなるかということをほとんど気にしていませんでした。アメリカの医療費が高いこと、病気になった場合に、その費用が大変なことになるとは知っていたにもかかわらず、あまりそのことを重大視していなかったのです。

2回目の留学の際には家族を連れて行ったので、健康問題以外にも何か事故が起きたら大変な状況になる可能性があったと思います。しかし、そういったリスクについても深くは考えていませんでした。何よりも「学びたい」「与えられた機会を最大限に活用したい」という気持ちが先行していたので、他のことについてはあまり考慮していなかったのだと思います。

私は若い頃、一貫して健康だったわけではありません。第6章の2で述べるように、腰痛に苦しんで歩けなくなった経験もあり、血圧の状態も良好だったわけではありませんでした。そのため、50代の半ばからは定期的に病院で検診を受けるようになりました。

2004年から2005年にかけてスタンフォード大学に客員教授として赴任した際には、医療保険がどうなっているかをきちんとチェックしました。また、日本の医師から紹介を受け、スタンフォード大学の附属病院であるメディカルセンターで定期的に検診を受けました。それにもかかわらず、全般的には深刻な病気になる心配はしていなかったのです。この時は学生時代ほど無謀ではありませんでしたが、それでも今振り返ってみれば、よく何事もなく過ごせたと感謝しています。

現在では、短期間外国に行くだけでも、旅行中に重大な病気が発生したらどうしようという心配が先立って、気軽に行くことができなくなりました。

歳をとって心配するようになる

歳を重ねるにつれて、さまざまなことが気になるようになってきました。とくに、健康状態が気になるようになりました。毎日血圧を測定し、その結果を見て一喜一憂する日々です。体のどこかが不調だったり、痛みを感じたりすると、深刻な病気の前兆ではないかと心配するようになりました。

いつ何時健康上の問題が発生するか分からないので、仕事のスケジュールは十分に慎重に考えて組んでいます。私だけではなく、家族に問題が起こることもあり得ます。こうしたことも、しばらく前までは考えていませんでした。

心配の対象は健康だけではありません。例えば、家を出てから鍵をちゃんとかけたかどうかが気になり、戻って確認したことが何度かあります（もちろん、鍵はかけてありました）。

そして、さまざまなことについて、「もしこうなったら大変だ。どうしよう」と過度に心配することも増えました。些細なことだけでなく、以前はあまり心配しなかった重要なことについても同様です。古代中国の人々が天が落ちてくることを心配したというところまでは行きませんが、確かに私も取り越し苦労かもしれないと思いつつ、過剰に心配しています。

コロナの影響

これは特に新型コロナウイルスの感染拡大が深刻化してから顕著になりました（誰もが同じだったと思いますが）。

外出することや集まりに出ることに極度に恐怖を感じ、心配になるようになりました。その結果、一時は睡眠障害になりかけたこともありました。幸いにも、歩くことを続けることで回復しました（第6章で詳しく述べる歩くことの効果を、自身でも実感しているのです）。

それでも、時々朝早く目が覚め、ささいなことが頭をよぎり、なかなか眠れないこともあります。しかし、あまりそれに囚われず、気にしない方がいいとも自分に言い聞かせています。

気にするなと言われても難しい、「心配事」との付き合い方

高齢になると病気になる確率が高まるので、用心深くなるのは合理的な行動といえます。しかし、過剰に心配するのは問題です。それがメンタルの健康を阻害し、身体的な健康にも悪影響を及ぼす可能性があります。

したがって、適度に心配することが重要でしょう。しかし、先ほど述べた鍵のかけ忘れへの過剰な心配などを考えると、そのバランスは難しいかもしれません。過剰に心配すれば、「天が落ちてきたらどうしよう」という極端な心配を始めるかもしれません。

適度な心配を医学的に正確に判断するのは難しいでしょう。それは、個々の健康状態や生活条件にも依存するからです。

医師に相談すれば、おそらく安全側のアドバイスをもらえます。つまり、少しでも心配なことがあれば検査を受けた方がよいといった提言を受けるでしょう。

一方、週刊誌などには、高齢者が健康を過剰に気にすることが問題だと指摘する記事もあります。血圧が200を超えても気にしなくてよいというような記事もありますが、これは行き過ぎではないでしょうか？

心配事の97％は取り越し苦労

なお、以上のことに関して、「心配事のほとんどが取り越し苦労だ」という興味ある研究があります。

シンシナティ大学教授であり国際認知療法学会会長のロバート・L・リーヒ博士は、著書 *The Worry Cure*（『不安な心の癒し方』）で、心配事のほとんどは杞憂（取り越し苦労）に過ぎないことを明らかにしています。

38％の人が「自分は毎日のように心配事をしている」と証言。しかし、抱いた不安の85％は実際には起きず、最終的にはよい結果に終わったそうです。そして不安が現実になった場合でも、79%の人は自分の力で解決することができています。

つまり、最終的に心配事が解決できずに終わるケースは、不安だったことが実際に起き（全体の15%）、そのうち解決できなかったものですから、全体の15%のうちの21%ということになるわけで、全体の約3%（0・15×0・21）程度でしかないということです。

同病、相哀れむ

余計な心配をするのは、ほかの人も自分と同じだと知るうえで、重要かもしれません。だから、心配事を、ほかの人と話すのも、意味があるかもしれません。自分だけの特殊なことなのか、ほかの人も同じように心配事があるのかと。それが分かるだけでもいいのかもしれません。

肩が痛くて上がらないときに、ついに肩が上がらなくなったかと落ち込んだが、それを友人に話したら、両肩が上がらないという。それを聞いて励まされたという話も聞きました。人と話すのはいいことです。そういえば、昔から、「同病、相哀れむ」と言います。

配偶者や友人が亡くなる喪失感とどう付き合うか

コロナの時期を経て、感染症に対する感度がある意味では過剰になってしまったのかもしれません。また、接触を避ける必要から、会合が少なくなったことの影響も大きいでしょう。高齢者のフレイル（虚弱）が増えていることが、これをはっきり示しています。

高齢者は、さまざまな原因で精神的な落ち込みに陥りやすいものです。本章の1では定年退職が一つのきっかけになると言いましたが、もう一つの大きな原因は、身近な人が亡くなることです。

ある大学教授で現役時代には非常に積極的に研究活動をしていたが、退職後配偶者が亡くなってから後は、ずっとテレビばかり見ている暮らしになってしまったという人の話を聞いたことがあります。

その始まりは、あるときから配偶者の介護をやるようになったこと。それが長年続き、必要なくなったときに、精神的に打撃を受けて、積極的なことをする意欲がなくなってしまったのだそうです。もともとは、テレビばかり見ているような人ではなかったとのことです。

高齢になると、配偶者だけでなく、友人たちも亡くなっていきます。そして話し相手もいなくなります。精神的な問題を抱えるようになるのは、ある意味では必然と言えるかもしれません。

メンタルヘルスはコントロールできる

肉体的な病気は、どんなに注意していても防げない場合があります。しかし、メンタルな健康の問題は、日常の努力次第でさまざまな改善が可能だと思います。

そして、そのために大きな役割を果たすのが、高齢になっても目的を持って生活をすること、勉強をすること、そして、できれば仕事をすること、社会とのつながりを続けることだと思います。本書が問題とするのは、そのような側面です。

高齢者の健康についてたくさんの書籍が出版されています。ただしそれらのうちメンタルな健康については、医者が関与できるのは一部ではないかという気がするのです。要するに、病気ではないのではないかという気がします。

本書は、勉強することによって高齢者のメンタルヘルスを向上することができるという立場からの、シニア生活の姿を探ろうとしています。

第6章

歩くことのさまざまな効用

1．身体と「こころ」は相互に強く関係している

心と体が強め合う：WHOの憲章

身体と心は、相互に強く関係していることが分かっています。1947年に採択されたWHO（世界保健機関）の憲章では、前文で、健康をつぎのように定義しています。「健康とは、肉体的、精神的及び社会的に完全に良好な状態であり、単に疾病又は病弱の存在しないことではない」

シニアの生活で健康は重要です。しかし、普通問題とするのは、肉体的な病気です。もちろん、それは大変重要なことです。病気になれば、何をさておいても、まずそれに対処しなければなりません。健康であることは、高齢者の生活にとって絶対に必要な第一の条件です。

ただし、肉体的な病気だけではなく、メンタルヘルスも重要です。つまり、健康とは、肉体的なものだけではなくて、精神的、社会的にも完全な状況だというわけです。健康は、身体的なものだけではありません。総合的なものなのです。

したがって、日常生活や習慣を重視した、全体的なアプローチが必要だということ

になります。運動や食事、喫煙、飲酒などの生活の習慣、そして、感情のコントロールなどに対するセルフケアが必要であり、メンタルヘルスが不調だということを早期に発見する。これが重要だということです。

心身症ということが言われますが、昔から、ある種の疾患の発症や進展に、心理的な要因が強く作用しているということが分かっています。例えばストレスが多いと、風邪などの感染症にかかりやすいということも分かっています。

脳を休息させる「睡眠」をもっと重要視する

また、睡眠は大変重要です。睡眠不足が続くと、大脳が休息できないので、疲労回復ができない、感情のコントロールができなくなるなどの障害が続きます。頭痛、全身のだるさ、集中力の低下などの症状も出てきます。

睡眠の障害は、高血圧や糖尿病の悪化要因ともなります。風邪を引いたときに、よく寝ることが必要だと言われますが、まさにそのとおりであって、睡眠中に免疫力が高まって病気を治す、自然治癒力が働くわけです。睡眠不足だと、そのような免疫が低下するので、風邪などに対する抵抗力が弱まってしまうわけです。

精神が安定しているとモチベーションも湧く

したがって、メンタルヘルスが重要であることが分かります。メンタルヘルスとは、精神的な健康のことです。

精神的な健康が充実していることで、モチベーションが高く、生活や活動を行うことができます。うつ病は心の病気の代表的なもので、多くの人がかかる可能性を持っています。外界の状況が変化すると、それに対応することが要求されます。これはストレスと言われるものですが、現代社会は、ストレスが多い生活になっています。

変化に対応しようと思うと、ストレスという緊張状態になる。これは誰にも起こることですが、ストレスの影響を強く受けるかどうかは、個人によって差があります。

そして、過度のストレスが続くと、精神的な健康や、肉体的な、身体的な健康にも影響が及びます。現代のストレス社会では、うつ病が大きな問題になっています。世界の総人口のうち、3%から5%がうつ病だという報告もあります。

ポジティブな感情が生活を活性化する

以上のことに関連して、「ポジティブ心理学」というものについて述べましょう。

この考えは、1998年にアメリカの心理学会の会長だった、ペンシルベニア大学の心理学の教授、マーティン・セリグマン博士が提唱した考えです。その後、この分野が発展して、研究が推進されてきました。

ポジティブ心理学は、人間の幸福感とか満足感を高めるための学問分野です。人間の強みや美徳、あるいは、才能、能力のような、人間が持つポジティブな側面に焦点を当てています。人間の生活の質を向上させ、より充実した生活を行うために何が必要かという問題を探求するわけです。

ポジティブ心理学が提案する大変重要な概念として、ペルマ：PERMAという考えがあります。これが、幸せを支える5つの柱です。これは、具体的には、次の5つのものです。

まずPは、Positive emotionで、「ポジティブな感情を持つ」ということです。つまり、愛や喜び、笑いや感動、こういう肯定的な感情が重要だということです。ネガティブな感情を打ち消す。それによって、対処力、回復力が高まり、思考や行動の選択肢が広まり、さらに、幸せを向上する要素を生み出すと考えられています。

2番目がE、これはEngagement。「没頭や没入」ということです。時間を忘れて何かに没頭して集中する、そういう状況を指します。没頭や没入ということによって、ネガティブな感情を防ぐ効果があると言われています。

3番目はR、Relationship、これは「豊かな人間関係」ということです。社会的な人間関係、友人やパートナー、家族や仲間、こういう人たちとのつながりが、大変重要だということです。

次がM、これはMeaningということです。「人生の意味や意義、何が大切で重要か。また、優先することは何か」、それらを明確にするということです。

そして、最後はA、Accomplishment、達成、完遂です。これは、何かを達成することです。それによって、幸福感が向上するという考えです。これはポジティブな感情を生み出す要素で、幸せな生き方を達成する要素だと考えられています。

勉強こそ「ポジティブ」になれる最適ツール

このような考え方が提唱されているわけですが、ここで考えてみますと、勉強することは、PERMAを実現する典型的な行動であることが分かります。

勉強することは、新しい知識とかスキルを学ぶことですから、そのためにEngagement：没入が必要です。没入することで、達成感、自己実現を達成することができます。また、学びの過程を通じて、新しい人間関係を築いていくことも可能です。

したがって、勉強することは、ポジティブな感情、没頭、没入、そして完遂、マスター、そういう点で、先ほど述べた目標に直接に結びついているということが言えます。つまり、ポジティブ心理学が言うことを達成する、理想的な手段であるということが言えると思います。

ポジティブ心理学は、「成功したから幸せになるのではなくて、幸せだから成功する」ということを科学的に証明しています。これを、「ハピネス・アドバンテージ」（幸福優位性）という言葉で表現しています。つまり、幸せだと考えていると、自然に頭の回転がよくなって、忍耐力や想像力も上がる。それによって、多くの力を得るということです。勉強することが、そういう意味で、ポジティブ心理学の言っている方法を達成する、理想的な手段になるということができます。

機械は時間が経てば、だんだん壊れてダメになります。人間も同じでしょうか？　そうした側面も確かにあるのでしょうが、全く同じではありません。人間の場合には、病気になっても、元に戻ることがあります。とくにメンタルな面については、その傾向が強いのではないでしょうか？

2.歩くこととメンタルヘルス

私が実践する「歩け歩け」健康法

私は、朝夕、40分程度の散歩を必ず行うようにしています。よほどの悪天候でない限りは、これを毎日続けています。近くに井の頭公園があるのでそこを散歩します。現在の私は、講義をする必要もなく、会議などに出席する必要もなく、もっぱら書く仕事だけをしていますので、時間のやりくりが可能であり、このようなことができるのです。

これは、体のためというだけでなく、精神的な面でも重要だと思っています。さらに、この時間は私の思考時間でもあるのです。つまり、仕事の延長と言う側面もあります。具体的には、スマートフォンを持ち歩いて思いついたことをメモしているのです。

机に向かって何時間も仕事をしていると、同じ姿勢を続けているので、だんだん疲れてきます。そして頭も動かなくなってきます。こんな時に立ち上がって散歩に出かけるのです。環境が変わると新しいアイディアが生まれることがあります。仕事に集中し、ある時点で物理的な環境を変えるのは、アイディアを生み出すための最もよい仕組みだろうと思っています。

考えることで頭を一杯にして歩く効用

おおよその骨格が頭の中にすでにできている段階で、スマートフォンに向かって原稿の口述筆記をすると、20分程度散歩すれば2000字位の原稿は簡単にできます。

ところが、これまでは、音声入力の精度が悪く、音声入力した原稿を読めるように直すために大変な時間がかかりました。最近、音声入力の精度が上昇して、入力したままでもかなりの程度の原稿ができるようになったので、ありがたいことです。

ただし、この方法を行う場合、重要な注意があります。それは散歩を始める前に頭の中を問題で一杯にしておくことです。これから考えなければならないこと、整理しなければならないことで頭を一杯にします。歩いているうちに、それの答えが生み出されるのです。

頭に材料を一杯に詰め込んでから散歩すると、「材料が頭の中で攪拌されて」発想ができるような気がします。新鮮な空気が脳を活性化するのかもしれません。足の刺激が発想を促進するという説もあります。少なくとも、体を動かすことは、発想にプラスの影響を与えるようです。「歩く」ことは、アイディアを得るための、最も手軽で最も確実な技術です。私は凝り固まった問題が頭の中にあって、歩くとそれが分解されて、うまい形に組み直されるのだというようなイメージを描いています。

繰り返しますが、重要なのは、散歩の前に頭を一杯にしておくことです。それがなくては、息抜きに終わります。私の経験は、それを強く裏づけます。本の執筆中には、散歩すれば必ずアイディアが出てきます。しかし、集中した仕事をしていないときには、単なる散歩に終わります。頭がカラでは、いくらゆさぶっても、何も出てこないのです。頭の中が空っぽの状態で散歩を始めても、ただ散歩をするだけで、何の成果も得られません。考えてみれば当然のことですが。

新しい考え、新しい問題の解決方法、新しいアイディア、これらは、準備が整った人にしか与えられないのです。準備なしの状態の人に、これらが天から降ってくるということはあり得ません。

なお、歩きながらの操作は危ないといいますが、公園だし、人とぶつかることはないので、許されるでしょう。

ノロノロ・ジョギングから散歩へ

こうしたことをやっているので、散歩といっても実にノロノロの散歩です。

しばらく前までは、ジョギングをしていました。歩くよりはそのほうが楽だからですが、といっても歩く人にどんどん抜かれてしまうと言うノロノロのジョギングです。ところがある時、ジョギングは足によくないとアドバイスを受けたので、これを止め、大股で歩くスタイルに変更しました。確かに足にはそのほうがいいようです。支障なく歩けると言うのは、誠にありがたいことです。実は私は20年ほど前に、ひどい腰痛に悩まされました。歩くことができなくなり、寝る時も痛くて眠れない。大変苦労しました。

知人が有能なカイロプラクティックの専門家を紹介してくれました。ここには20年以上、毎週通いましたが、おかげで歩けるようになり、痛みもなくなりました。体重を落とすように指示され、その指示に従い体重を落としたことによって、とくに治療をしなくても腰痛を感じることはなくなりました。これも本当にありがたいことです。この人に感謝しています（この人は、末期の肺がんでなくなりました）。

いま振り返ってみると、体重が増えすぎたことが大きな原因だったと思います。その状態は、幸いにしてストップすることができました。いまは腰が痛いと思うことがあまりなくなったのですが、それは体重のコントロールに成功したからだと思います。当時に比べれば随分体重が減りました。このため、体調がよくなったと感じることがあります。

江戸時代の儒学者、貝原益軒は、『養生訓』で、「よく歩くこと」を勧めています。雨の日は部屋の中でもよいから、毎日歩く。そうすれば、薬に頼らなくとも病気にならないと言っています。

松尾芭蕉が『奥の細道』で歩いた距離は、約2400キロメートルと言われます。約150日間かけているので、一日平均約16キロ。移動しない日があったことなどを考えると、50キロも歩いた日もあります。

歩きながら脳を刺激した人たち

ウォーキングや散歩は、脳を刺激し活発化させる働きを持っています。歩くことは、優れたひらめきや直感を生みだす可能性を有していると思われます。

古代ギリシャのヒポクラテスは、「歩くことは人間にとって最良の薬」と言いました。哲学者プラトンは、オリーブの木の下を歩きながら講義したと言われています。プラトンの弟子アリストテレスは、学校の廊下を歩きながら考えて授業をしたと言います。アリストテレスの学派は、「逍遥学派」と呼ばれました。

18世紀の哲学者イマヌエル・カントは、散歩を欠かさず、歩きながら思索を深めたといわれます。ワーズワースは、「書斎はどこにあるのか」と尋ねられた時に、「ここにあるのは図書館で私の書斎は戸外だ」と答えました。ニュートンやアインシュタインも、散歩が好きだったそうです。

軽度でリズミカルな運動が記憶力も高める

軽度でリズミカルな運動を続けると、脳内でセロトニンというホルモンが増加。セロトニンは、脳の前頭前野というエリアに作用し、ストレスや不安への耐性を調整してくれるのです。全身の血行がよくなり、脳の血液循環が促される。すると思考を司る脳の働きがアップします。

歩くと、筋肉からホルモン様物質が分泌されるそうです。イリシンは脳へ侵入し、脳で記憶や学習に関わる海馬に作用すると、BDNF（脳由来神経栄養因子）という物質が分泌されます。

BDNFの働きにより、脳の神経細胞が増えたり、神経細胞同士をリンクするシナプスと呼ばれる接点が増えたりして、記憶や学習能力が高まるのです。

セロトニンという脳内物質は、気分の上下に大きくかかわっており、気分を安定化させるホルモンであると言われています。また、ストレスに立ち向かっていくために必要なホルモンで、セロトニンが不足することで、うつ病やパニック障害、不安障害などとの関連性も指摘されています。

セロトニンを増やすという視点で、20~30分程度、集中して歩いてみましょう。ウォーキングの時間帯は目が覚めたらできるだけすぐに、というのが理想ですが、まずは朝に取り組むことから始めましょう。

病気の9割は、歩けば治ると言われます。とくに、不眠や認知症防止に有効です。日本人の5人に一人は、不眠に悩んでいます。不眠も、歩くことで解消できます。不眠症の9割は歩くだけで治るそうです。

最も効果的なのは、朝のウォーキング。朝に歩いて朝日を浴びると、脳内の体内時計が24時間周期に正しくリセットされ、同時に脳内ではセロトニンが分泌されます。歩いて脳が活性化すれば、認知症予防にもつながります。

「ウォーキング・セラピー」一日8000歩で病気を予防する

では、どのくらい歩けば、どんな病気が予防できるのでしょうか? 一日約3キロメートル以上の歩行が、認知症予防に効果的だといわれます。

これを調べた研究があります。2000年から群馬県中之条町に住む65歳以上の住民約5000人を対象に行われている「中之条研究」です（注1）。一日8000歩、そのうち20分は中強度の歩行（速歩）を行うと、ほとんどすべての生活習慣病を予防し、健康長寿の実現に役立つと分かったのです。

厚生労働省の検討会が2023年11月に公表した「健康づくりのための身体活動・運動ガイド2023」は、歩行やそれと同じ程度の活動について、成人は「一日60分（一日約8000歩）以上」、高齢者は「一日40分（一日約6000歩）以上」を推奨しています。

ウォーキング・セラピーという考えがあります（注2）。自然の中でのウォーキングは、自然との深く、強い結びつきを感じさせてくれます。かすかにでもこの感覚を実感できれば、心の回復と幸福感、心身の健康にとってスピリチュアルな要素、あるいはつながりがいかに大切かを理解できるでしょう。どんなに多忙な人でも1週間に1時間くらいはひねり出せるはずです。

（注1）地方独立行政法人東京都健康長寿医療センター 運動科学研究室長 青柳幸利。協力／株式会社健康長寿研究所

（注2）「欧米で注目を集める『歩くだけ』心理療法、ウォーキング・セラピーとは何か」ニュー

ズウィーク日本版ウェブ編集部、2020年3月10日

外に出かけるだけでストレスは軽減される

自然の中を歩くことは、メンタルヘルスを向上させ、ストレスを軽減させるためのもっとも効率的な方法です。

国際科学誌「Molecular Psychiatry」に掲載された研究は、自然の中の散歩は、身体的な健康だけでなく、精神的な健康にも素晴らしい効果をもたらすことを明らかにしています。科学情報誌「Scientific Reports」に掲載された2019年の論文は、自然の中に週120分いるだけで、健康状態が改善することを示しています（注）。

自然の中を歩くのと都会を歩くのとを比べると、前者のほうがストレス緩和効果が高いのです。都会の環境がメンタルヘルスに悪影響を及ぼし、不安やうつなどの精神疾患の原因になっていることは、否定できない事実だと考えられます。自然の中に身を置くことによって、うつ病や不安神経症の症状が緩和されるのです。

（注）

・Jessica Cambell ,This Is How Long You Need To Walk Outdoors To Reap

Mental Health Benefits,*Women's Health*, Sep 20, 2022.
・*Scientific Reports*, 2019年6月

自然の中が難しければ、せめて屋外で

ただし、大都会に住んでいるものとしては、自然の中を歩けと言われても、実行するのはなかなか難しいことです。仮に実行できても、年に数回といったことになってしまうでしょう。

実は、自然の中の散歩が難しければ、屋外にいるだけで、室内よりはずっと健康的でいられるそうです。近くの公園を散歩するだけでも、十分に心の落ち着きを取り戻せるのだそうです。

外にいるだけでもよいということになれば、誰でも簡単に実行できます。しかも、毎日でも実行できます。それを考えれば、年に数回よりはずっとよいでしょう。

外に出れば、空気が清浄というだけではなく、室内にいる閉塞感から解放されます。また、少しでも植物があると、季節の移り変わりを実感することもできます。是非、実行しましょう。

人間は、「二本足で歩く」ことで人間になった

人間にはいろいろな特徴があります。生まれたときに無能力であることとともに、二本足で歩けることは非常に大きな特徴です。人類は、木の上の生活をやめて地上に降り、歩き始めた。それによって、猿とは違う進化の過程を歩み始めた。そして、歩くことによって、地球中に広まった。だから、歩くことは人間にとって特別の意味を持っています。

それは、人間というものの存在に、非常に本質的な意味を持っています。あらゆる動物の中で、直立二足歩行をできるのは、人類のみ。それによって頭脳が大きくなって発達し、進化したのです。

だから、第2章の3で述べた理屈によって、歩くことは、本来楽しいものであるはずです。あらゆる運動の中で一番楽しいはずです。それをやるのが一番自然なはずなのです。

3.「一病息災」という考え方

入院の経験を2回

私は2回入院したことがあります。1回目は65歳の時、肺がんの手術をしました。全く自覚症状はなく、血圧の検査で定期的に検診を受けていた病院の先生がレントゲン写真から異常を発見してくれました。

その後の検査で初期の肺がんであることが分かり、急遽入院して手術を行いました。左の肺を約3分の1取りました。幸いなことに、リンパへの転移が始まる前でした。その後再発することもなく、左の肺の大きさも元通りになり、全く問題のない生活を送っています。

2回目は、75歳の時、前立腺肥大の手術を行いました。この時も同じ病院の同じ先生が発見してくれました。

定期健診の血液検査で、腎臓の機能を示す項目が異常な値になっていました。この時の状況もよく覚えています。家を出る時には入院などと全く考えてもいなかったのに、即時入院。検査の後に、前立腺の手術が行われました。この時も手術は順調に行われ、その後は全く正常な生活が続いています。

「もし発見があと1週間遅れていたら、人工透析になっていただろう」と言われ、それを思い出すと今でもぞっとします。

無病息災は無理でも、一病息災

どちらの場合も、高血圧のために定期的に検診に通っていたことが幸いし、そのおかげで、まさにギリギリのタイミングで重大な病気が発見されたのです。

昔から「無病息災」ということが言われます。無病息災が理想であることは間違いありませんが、人生100年を無病で通すのは、なかなか難しいことです。

しかし、「一病息災」であれば可能です。何らかの問題を抱えていれば、日頃から体に注意を払い、定期的な受診もしているでしょう。

一病があれば、病院に行かざるを得ません。そこで検査をしているうちに、何かが分かることがあります。病院に通っていることで、さもなければ気づかなかった病気を早く見つけることができるということです。それによって大病に至らない可能性が高まるということです。これを「一病息災」ということができるでしょう。

身体のことは慎重に考える必要があります。私自身も、高血圧があったから、手遅れにならずにすみました。気が重くとも「定期健診」は受けるようにしましょう。歳をとるにつれて、健康チェックを怠らないように心がけることは、大切だと思います。二病息災になっても三病息災になっても、命にかかわる大病を未然に防げる可能性があります。

気になることがあったら、医師に相談しよう

病院や診療所に行くのは、気が重いものです。誰でもそうだと思います。しかし、気になる症状があれば、できるだけ早く医師に相談をする方がよいでしょう。そして何もない、大丈夫だと分かれば安心できます。

医学に関する情報は、昔に比べれば、格段に容易に手に入るようになりました。ある頃までは、普通の人が医療に関する情報を得ることはほとんど不可能でした。しかし、しばらく前から「家庭の医学」という類の書籍が発行されるようになり、普通の人でもさまざまな情報を得られるようになりました。

インターネットが普及してからは、ウェブ上に詳細な医療関連の記事が出されています。それらを見れば、現在の自分の状況をどう判断してよいか、かなり的確な判断が得られる場合もあると思います。

このような情報は活用すべきだと思います。ただ、それでも自分が今直面している症状に対して適切で確実な診断をしてくれるのは専門家だけです。

私自身、病院や診療所に行くことは、いつでも気がすすみません。ただ、私の場合には、症状がある段階を超えると、これは非常事態だというアラームが鳴り響きます。そして、意識が切り替わり、診療所なり病院に行く決断をします。

オンライン診療の普及を望む

もっとも、この点については、事態は変わっています。情報技術の進歩によって自宅にいながらさまざまな診断ができるようになっているからです。

これは特に、コロナの時期に海外ではオンラインの医療が展開されたことが大きな影響を与えています。さまざまなデバイスが開発され、家庭でも、これらを用いてかなり正確な診断ができるようになりました。

しかし、残念ながら、日本の場合にはオンラインでの診療がほとんど行われていません。形式的には、オンライン診療が利用可能な状況なのに、実際のところ多くの医師や診療所や病院がそれに対応していないという問題があります。これについては、ぜひ積極的な対応を望みたいと思います。

どれだけ気にしたらいいのか難しい問題

高齢者の健康については、さまざまな意見が出されています。例えば、高血圧についてあまり気にしなくてもよいというような意見もあります。そうなのかもしれませんが、しかし、高血圧を放置するのは、よいことではないでしょう。

今の人間は、医学の発達によって自然の寿命よりは長く生きてしまっているのではないかと思われます。そうであれば、病気になるというのはやむを得ないことでしょう。

そうした状況で、何かしらの具合が悪い状態が出るのはやむを得ないことで、それをいちいち気にしていては生活ができないかもしれません。ただし、全く無視してよいわけでもないでしょう。この辺の判断をどうするべきかは個々の場合で違うと思いますので、簡単には判断できません。

80歳を機に免許証を返納

高齢になると、体力は一般的に低下するでしょうし、瞬間的な反応なども遅くなるのが一般的でしょう。

したがって、自動車の運転などは、控える方が安全ではないでしょうか？　私は、自動車の運転は好きだったのですが、80歳になったのを機会に、免許証を返納しました。

多少不便になったと感じることがないわけではないのですが、それよりは、使わない自動車のバッテリーが上がってしまうことを防ぐためにエンジンをかけるというような無駄なことをしなくても済むようになった側面もあります。また、自分が悲惨な事故の加害者になるという危険はなくなったと考えることができます。これが、もっとも重要なことです。

自分だけの問題ではない

高齢になってさまざまな病気の確率が高まるのは、やむを得ないことです。そしてそれに合わせて生活に一定の制約を加えることもやむを得ないと思います。

高齢者の病気や死という問題は、自分だけのことではありません。自分の周りにいる親しい人々の病気や死から、大変大きな影響を受けます。配偶者や家族、学生時代からの親しい友人たち。それらの人々の健康や病気は、私に深く影響します。

一緒に旅行した高校時代の仲間5人のうち、既に3人が亡くなってしまい、私とも

郵 便 は が き

料金受取人払郵便

新宿北局承認

9158

差出有効期間
2025年 8 月
31日まで
切手を貼らずに
お出しください。

169-8790

174

東京都新宿区
北新宿2-21-1
新宿フロントタワー29F

サンマーク出版愛読者係行

ご 住 所	〒　　　　　　　都道府県	
フリガナ		☎
お 名 前		(　　　)
電子メールアドレス		

ご記入されたご住所、お名前、メールアドレスなどは企画の参考、企画用アンケートの依頼、および商品情報の案内の目的にのみ使用するもので、他の目的では使用いたしません。
尚、下記をご希望の方には無料で郵送いたしますので、□欄に✓印を記入し投函して下さい。
□サンマーク出版発行図書目録

1 お買い求めいただいた本の名。

2 本書をお読みになった感想。

3 お買い求めになった書店名。

市・区・郡　　町・村　　書店

4 本書をお買い求めになった動機は?

・書店で見て　　・人にすすめられて
・新聞広告を見て(朝日・読売・毎日・日経・その他=　　)
・雑誌広告を見て(掲載誌=　　)
・その他(　　)

ご購読ありがとうございます。今後の出版物の参考とさせていただきますので、上記のアンケートにお答えください。**抽選で毎月10名の方に図書カード(1000円分)をお送りします。**なお、ご記入いただいた個人情報以外のデータは編集資料の他、広告に使用させていただく場合がございます。

5 下記、ご記入お願いします。

ご職業	1 会社員(業種　　)2 自営業(業種　　) 3 公務員(職種　　)4 学生(中・高・高専・大・専門・院) 5 主婦　　6 その他(　　)		
性別	男・女	年齢	歳

ホームページ http://www.sunmark.co.jp　ご協力ありがとうございました。

う一人だけが今残っている。今までさまざまなことを話し合えた友人たちが今はもういない。この喪失感は10年ほど前から、ますます強くなってきています。

誰がために鐘は鳴る

この原稿を書いていたら、亡くなった友人たちの顔が浮かんできました。中世イングランドの詩人ジョン・ダン（John Donne, 1572年－1631年）の「誰がために鐘は鳴る」を思い出し、歳をとるにつれて、この詩の恐ろしさが、ひしひしと分かってきます。少し長いのですが、途中を省略して引用したいと思います（注）。私は最初の部分が好きだったのですが、若いときとは、受け止め方が微妙に変わってきます。私は最初の部分が好きだったのですが、それよりは、最後の部分の方が重く聞こえてくるようになってきました。

No man is an Iland, intire of itself, every man is a peece of the Continent, a part of the maine; ・・・

Any mans death diminishes me,because I am involved in Mankinde; and therefore never send to know for whom the bell tolls; It tolls for thee.

誰も、それ自体で完結した島ではない。誰もが大陸の一片、本土の一部。（中略）誰の死も私を縮ませる。なぜなら、私は人類の一部であるから。それゆえ、誰がために鐘は鳴るかと問うなかれ。そは、汝《な》がために鳴る（野口悠紀雄訳）。

（注）John Donne, *MEDITATION XVII, Devotions upon Emergent Occasions.*

孫に「親方」と呼ばせている理由

ところで、メンタルヘルスの問題に関連して、最後に、雑談です（勉強の話ではありません）。

あなたは、お孫さんをお持ちでしょうか？　お孫さんは、あなたのことをどのように呼んでいますか？

昔は、「おじいちゃん」、「おばあちゃん」というのが普通の呼び方でした。しかし、いつの頃からか、「じいじ」、「ばあば」というようになりました。

「おじいちゃん、おばあちゃん」が、何で、「じいじ、ばあば」という変な言葉になったのでしょう。本当に信じられないことです。よく皆さん、「じいじ、ばあば」と呼ばれて、平気な顔をしていますね。

私は、この呼び方は絶対に受け入れられません。こう呼ばれると、すっかり耄碌《もうろく》して何もできなくなった年寄りといった感じになってしまいます。呼び方は重要です。「たかが呼び方」と思われるかもしれません。しかし、「されど呼び方」です。呼ばれ方を変えることによって、マインドセットが大きく変わるのです。ただし、途中から呼び方を変えさせるのは難しいと思いますので、早いうちに決めておくのがよいでしょう。

そこで私は、孫たちが「じいじ」と呼ぶことは禁止して、別の呼び方をさせています。なんと言わせているかと言うと、「親方」と呼ばせているのです。私はこの呼び方に満足しています。

「親分」という言葉も考えたのですが、やや問題と思って、少しおとなしくしました。それでも問題がなかったわけではありません。孫の一人が、小学校に入る前、親方というのが普通の呼び方であると思って、友達や友達のお母さんとの会話の中で、この呼び方を出してしまったのです。これを聞いた人は、驚きます。「その筋のお方でしょうか？」と思われたそうです。このような問題が起こらないように、他の人との会話では使わないようにと注意しておくのがよいでしょう。

というわけで、私は「親方」で威張っているのですが、先日、ある集まりでこの話をしたところ、「では、『ばあば』はどうしているのか？」という質問が出ました。確かに、私はそこまで気が回らず、いつのまにか、「ばあば」になっていたのです。

そこで、議論になりました。結局「姉御」ではないかということになったのですが、これを使用するのは、もっと注意が必要かもしれません。「親方、姉御」では、間違いなく、「その筋のお方」になってしまうでしょう。

第7章

講義を受けるのでなく、自分で学ぶ

1. 学校に行くのではなく、自分で学ぶ。そして、教える

学校に行けばいいのか?

多くの人が、勉強についてつぎのように考えています。第1に、「勉強するのであれば、学校に通ったり、講座を受講しなければならない」(つまり学校や講座が勉強の必要条件)と考えています。そして第2に、「学校や講座で講義を受ければ知識が増える」(つまり、学校や講座の受講は勉強の十分条件)と考えています。

このどちらも誤りです。つまり、学校や講座は、勉強の必要条件ではありませんし、ましてや、十分条件ではありません。

学齢期に学校に通うことは、集団生活の訓練と友人を作るという意味で極めて重要な意味を持っています。しかし、シニアにとっては、そうしたものは、あまり必要ではないでしょう。集団生活の訓練も友人も、すでにできているでしょう。また、学校に通って若い人たちと一緒に勉強し、新しい友人関係を作るのは難しいことでしょう。

基本的な問題は、市民講座の類、あるいはオンラインで行われている講座などが、どれだけ有効なものかが大いに疑問だということです。

第4章の4で述べたように、中高年社員にスキルを再教育する動きが見られます。これを行おうとする企業側の意図はともかく、受ける側が「受講すれば知識やスキルが身に付く」と考えるのは間違いです。お仕着せの講義を受動的に受けても、必要な知識が教えられているかどうかは、大変疑問です。

これらのセミナーはビジネスとして行われていることに注意が必要です。リスキリングブームに乗って、政府や自治体が補助を出していることから、ブームが起きています。それにあおられず、どの程度の効果があるのかを、じっくり考える必要があります。

英会話学校は無意味

これに関連して、英会話学校について述べたいと思います。

多くの人が、外国語、特に英語の勉強が必要と感じています。そして英語を勉強したいと思って、英会話学校に通う、あるいはオンラインの英会話教育を受ける。それによって英会話の能力がつくと考えています。しかし、この考えは間違いです。

第1の大きな間違いは、「英語で重要なのは、話すことだ」と考えることです。

しかし、実際の仕事で重要なのは、話すことではありません。聞くことです。相手の言っていることを正確に聞けないと、いくらこちらが流暢に話せても無意味です。これは、自明であるにもかかわらず、多くの人が忘れていることです。

第2に重要なこと、それは、聞くことができれば、自動的に話せることです。これは信じられないかもしれません。しかし、事実です。流暢に話せることを訓練しなくても、一向に構わないのです。

第3の誤りは、仕事の上で必要な英語は、仕事の分野によって大きく違うと意識していないことです。必要なのは、その分野での専門用語です。ところが、専門分野の英語はその分野の専門家でないと教えることができません。英会話学校でこのような教師を分野ごとに準備することはできません。

したがって、そこで教える英語は、「こんにちは。ご機嫌いかがですか」といった類の会話になります。このようなことをいくら勉強しても、何の意味もないと言っていいでしょう。

独学のための環境は著しく改善した

学校に行くのでなく、自分で積極的に勉強することが最も有効です。学齢期を過ぎた期間の勉強には一般的に言えることですが、シニアの場合にはとくにそうです。

シニアはすでに知識があり、人によって知りたいことが異なっています。したがって、一般的な講義を我慢して学ぶより、自分に必要なことだけを独学で学ぶほうが、ずっと知識やスキルが身につきます。

ところで、自分で苦労して勉強して成功した人は大勢いますが、それらの人々の伝記を読んで大変だと思うのは、勉強するための教材が、かつては簡単には手に入らなかったことです。

本を買うのは簡単ではありません。そのために図書館に行ったりして、大変苦労して教材を得る必要がありました。

この点に関して、情報技術の進歩は、独学の環境を信じられないほど改善しました。ウェブを探せば、多くの文献が無料で手に入ります。日本語の文献だけではありません。英語の文献も容易に手に入ります。

外国語の文献は、われわれの学生時代には、自分で手に入れるのは容易なことではありませんでした。外国の書籍は、きわめて高価でした。それが今では、最新の最先端の文献であっても手に入ります。

また、さまざまな大学がオンラインの講座を提供しています。講座で勉強して修了証を得られる場合もあります。あるいは、無料で講座を受講することもできます。特に、いくつものアメリカの大学（その中には、有名大学も多数あります）が、さまざまな形態でのオンラインの講座を提供しています。日本の大学も同じように講座を提供しています。これらを積極的に活用するのは、大変有効なことです。

勉強を行う環境は、50年前とは大きく変わりましたし、10年前と比べても大きな変化があったと言うことができます。

これはＩＴ革命、特にインターネットによってもたらされたものです。この変化があまりに急なので、人々の考え方がついていけず、勉強するためには、学校に行ったり、講習を受けたりしなければならないという固定観念から脱出できていません。

2.カリキュラム作りは難しい

どうやってカリキュラムを作ったらよいか？

ただし、独学にいくつかの問題があるのは事実です。

最大の問題は、カリキュラム作りです。学校での勉強や受験勉強においては、この問題がありません。何を勉強したらよいのかが、はっきり決められているからです。そして、それに従って教師が講義を進めてくれます。学生としては受け身でそれに対応していればいいだけのことです。

それに対して、独学をする場合には、このようなわけにはいきません。独学の場合には、何をどのような順で勉強していくか、自分で考えなくてはいけません。これから学ぼうとする人間にとって、これは難しい課題です。とくに、いままで受動的な勉強しかしてこなかった人は、ここで躓《つまず》く可能性があります。

社会人学校に通ったり、出来合いの講習を受けなければならないと考えるのは、こうした問題があるからでしょう。

リスキリングが企業によって提供されている場合には、カリキュラムが決まっています。したがって、それによって進んでいけば、学校の場合と同様にエスカレーター的に勉強ができると考えてしまいがちです。

ただし、学齢期の勉強と社会人の場合には大きな違いがあります。与えられたカリキュラムが個々の人にとって本当に重要なものなのかどうかは、疑問があります。何を勉強すべきかは、個人個人によって大きく違うからです。

では、どのようにしてカリキュラムを自分で作ったらよいでしょうか？

第1の方法は、その分野の標準的な教科書を見ることです。特に重要なのは、目次です。どのような内容を勉強することが必要かを、目次を見ることによって大雑把に把握します。

もう一つの方法、これは私が「逆向き勉強法」と呼んでいるものです。これは独学にはとくに有効な方法です。これは、例えば、過去の試験問題を見る。それによって、どのようなことを勉強したらよいか、どのような問題が出るのかということを把握します。この方法の詳細については、本章の6で論じることにします。

全体から部分を理解する

カリキュラム作りで意識すべきは、まず全体を理解することです。私は部分を積み上げて全体を理解するのでなく、最初に全体を理解したうえで、あとから必要な部分を学ぶという勉強法を提唱しています。

山頂から鳥の目の視点で見下ろせば、街の概要が分かります。それと同じように、全体を理解して何が重要なのか判断をしてから、カリキュラム作りをするのが最善です。

もう一つは、できるだけ高いところに登ってしまうことです。例えば、つるかめ算を考えてみましょう。中学で連立方程式を学ぶと、つるかめ算の出番はもうありません。つるかめ算が分からなくても連立方程式で簡単に解けるので、連立方程式を学べば、そもそもつるかめ算を学ぶ必要はありません。

カリキュラムの修正は可能

独学の場合には、カリキュラムは間違えても、構いません。勉強していくうちに「これよりあれが重要」と気づけば、修正すればよい。それが独学の強みです。

それに対して、学校や講座では、一度始まると、修了するまで変更が困難です。特に日本の教育制度ではそうです。

私は工学部で、途中で経済に関心が移ったものの、修士までは工学の勉強を続けざるをえませんでした。シニアでも、講座に通えば同じリスクを背負います。時間を無駄にしたくなければ、独学すべきです。

3.途中で挫折しないための方法

独学では強制力が働かない

独学のもう一つの問題は、強制力がないことです。学齢期における学校は、勝手に休んだりやめたりすることができません。つまり、勉強を続ける強制力が働きます。

成人向けの市民講座の類でも、受講料を払えば、途中で止めるのはもったいないからと考えるので、続ける力が働くでしょう。しかし、自分で勉強している場合には、この類の強制力は働きません。

そこで、始めるときには勇んで始めたが、そのうちに続かなくなって止めてしまうということが大いにあります。

「学んだら教える」で勉強を楽しいものにする

右の問題に対処するには、いくつかの方法があります。

まず第一に重要なのは、勉強を楽しいものにすることです。サボるのは、そもそも楽しくない勉強をしているからです。勉強内容を敵と見なして、自分を守るために学ぶのではなく、味方にして前に進むために学ぶべきです。

あるいは、無理に自分を追い込む仕掛けを作ってもよいのではないでしょうか？例えば、資格試験であれば、それに挑戦していることを、いろいろな人に公言することが考えられます。うまくいかなければ、面目を失うので、一層努力するでしょう。

シニアの勉強法として、学んだことを人に教えることをおすすめします。トロイの遺跡を発掘した考古学者のシュリーマンは、18カ国語を操る語学の達人でした。彼は語学習得のためにお金を払って人を雇いました。ただし、自分に外国語を教えてくれる先生ではなく、生徒役になる人を雇ったのです。生徒に教えるためには、まず自分が勉強しなくてはいけません。独学には強制力がありませんが、人に教えることが決まっていれば、自分にプレッシャーをかけられます。

いまの時代なら、生徒役を雇わなくても、ブログで発信すればよいでしょう。例えば簿記の勉強をするなら、「私の簿記講座」と題して記事を公開し、定期的に更新します。

もちろん、教科書と同じことを書くだけでは、誰も読んでくれません。発信するなら新しい視点を提供することが求められます。こうして、勉強に対して主体的になれるという効果があります。

学んだことを「発信」すると楽しくなる

あるいは、メールマガジンの活用。定期的にメールで親しい人に送ることも考えられます。私の友人でも、これをやっているのが3人います（第11章の2参照）。

私はこれらを毎回詳しくきちんと読んでいるわけではないのですが、こうしたメールが来ることが、なぜか楽しい。身の回りのことを知らせてくれるよりは、新しい世界を知らせてくれるほうが楽しいと感じます。

ガーデニングの講座を作ってもよい。あるいは、世界のバーチャルツアーを作って公開する。自分史を作って公開してもよいでしょう。

4.まずは一日一語検索から

知識と興味の循環の「最初の一歩」

第一歩として、とにかく勉強をスタートさせてみましょう。自然に興味が湧くのを待っていたら、いつになるのか分かりません。しかし、知識を得ることなら、いますぐにできます。いま好奇心が湧いていないという人は、「知識から興味へ」が出発点です。

とはいえ、最初から専門書を読むのは簡単ではありません。無理して義務的に読めば、勉強が嫌いになって逆効果です。

そこで、手始めに、「一日一語の検索」から始めてみましょう。新聞を開けば、気になりながらも意味をきちんと把握できていない言葉にいくらでも出くわすはずです。特にアルファベットの略語は、漢字と違って意味を想像しにくい。そういったものを最低一日一語、検索して調べます。

調べて意味を理解すると、好奇心が刺激されて、もう一段深いところまで調べたくなったり、説明を読んでいる途中にまた新語に出くわして検索したくなるかもしれません。そのように知識と興味が循環していくのが理想的な状態です。

もちろん、最初から連鎖的な検索をいきなり行う必要はありません。好奇心が衰えている人は外にアンテナが向いていないので、一日一語の検索を習慣づけるのがちょうどよいと思います。

「知らないことはなくなってしまった」などということはないでしょう。シェイクスピアの『ハムレット』の中で、ハムレットがホレイショウに言っているように、「この世界には、あなたの哲学では想像もつかないことが山ほどある」のです。右の検索作業を始めると、この言葉が本当に正しいと感じます。

「何を調べたいか分からない」は危険信号

一日に一つの言葉を検索するなど、簡単なことだと思う人が多いでしょう。しかし、実際にやってみればすぐに分かりますが、一日一語検索は、それほど簡単なことではありません。寝るときに、今日は何を検索したかと思い出してみてください。何も検索しなかったと思う日が実際には多いのではないかと思います。これは、意外なことでしょう。

「今日は忙しかったから、とても検索なんかやっている暇がなかった」というのではなく、そもそも何かを調べたいという気持ちにならなかったのではないでしょうか？

その証拠に、テレビを何時間も見ていたということであれば、まさに好奇心の欠如が現実化しているわけで、危険信号です。

これは、調べたい、知識を広げたい、より多くのことを知りたいという気持ちを持っていなかったことを意味します。この方向を変えなければいけません。夜寝る前にそれに気がついてからでも構いませんから、とにかく何か一つの言葉を検索してみましょう。

何を検索したらいいか分からないということであれば、これまた危険信号です。新聞に出ていた英単語の略字、あるいはテレビのアナウンサーがニュースで言っていた言葉でも構いません。とにかく何かを検索してみる。そしてそのことから、さらに興味が湧いて別の言葉を検索したいと思うようになれば、好奇心の拡大過程がスタートしたことを意味します。この過程が継続するようになるまで、一日一語検索を続けてみてください。

方向が変われば、その方向に進み出す

今まで気にも留めていなかったことを検索してみると、実は非常に重要なことであ

り、「このように重要で新しいことが始まっていたのか！」と驚くこともあります。あなたが気がつかない間に、実は世界は大きく変わっていたのです。そのような変化は、新聞の記事などにも既に現れていたのですが、あなたが関心を持っていなかったために、それに気づかなかっただけのことなのです。

あなたは、世の中から遅れているということになります。言い換えれば、世の中はあなたの思う以上にずっと先に進んでいるのです。これは大変！

そうなれば、それについてもっと知りたくなるでしょう。知識を得たいという方向付けに変われば、さらに知りたいと思うようになります。それによってあなたは停滞の過程から脱却することになります。

5.プルとプッシュの違い

「情報をプルする」のか、「プッシュを受ける」のか

子供たちは、ネットのゲームに熱中していても、なぜ検索しようとしないのでしょう。積極的に何かを引き出そうと思っていないのです。

ゲームでは、機械がいろいろな結果を出してくれます。そういうものは受け入れる。テレビも同じです。それにもかかわらず、自分が知りたいことを検索で引っ張り出そうとはしない。

私には、一日中テレビを見ている人の心理が分かりません。自分が見たいことを必ずしも出してくれているわけではない。それにもかかわらず、ずっと見ているというのは、どういうわけでしょう?

私は、テレビが始まったときから、あまり見ていません。ただし、あるときまでは、映画を見ていました。DVDで映画を見たり、音楽を聴いたりしていました。ただ、最近は忙しくなってしまって見る時間がなくなり、大変残念だと思っています。

私は、ビデオで好きな映画を見られるようになったときに、非常に感激しました。

自分の好きな映画が見られると。それまでは、テレビ局が選んだ映画を見るしかなかったのですが、自分が選べるようになったので、非常に感激したのです。

考えてみると、それは映画だけではありません。音楽もそうです。私たちの世代が若い頃、音楽を聴く手段はラジオしかありませんでした。どんな音楽を流すかは放送局が決めているわけで、自分が聴きたい音楽を聴くことすらできなかった。

ＬＰレコードが初めて入手できるようになったのは、中学生のときです。非常によく覚えています。そのときに、初めて聴きたい音楽を聴けた。

私は、ベートーヴェンの「第六交響曲」を買いました。ブルーノ・ワルターの指揮。そのレコードが２３００円でした。いまとほとんど変わっていません。今から70年近くも前のことですから、当時は非常に高いものだったということです。今の若い世代の人々には、自分が聴きたい音楽を聴けないのがどんなことかは、想像もつかないでしょう。

いまは、非常に幸せです。幸せになっているはずです。それなのに、どうしてその幸せを利用しないのだろう？　その幸せを放棄しているのはなぜだろう？　と思います。

検索とテレビの違い

検索をするかテレビを眺めるかの違いは、情報をプルするか、プッシュを受けるかの違いであり、これは実は大変重要な違いなのです。

テレビを見ている時には、画面から流れてくる情報を受動的に受け入れているだけです。つまり、プッシュされる（押し出される）情報を受動的に受け止めているだけなのです。

それに対して、検索をする場合には、何かを求めている。情報を引き出そう、プルしようと考えています。ですから、受動的な行為ではなく、能動的な行為です。情報をプルする場合には、何らかの問題意識があります。目的意識があるといってもよいでしょう。その目的のために役立つ情報を引き出そうとしているのです。

小説以外は本を「全部」読む必要はない

本を読むことがもっとも効率的ですが、小説でなければ、全部読む必要はありません。アメリカの大学院に留学していたころ、私は膨大な量のリーディングアサインメントに苦しみました。「来週の授業までに課題本を4冊読め」という課題で、英語を母国語としない留学生には、非常に大きな負担でした。大きな本を何冊も渡されて、「これを来週までに読め」と言われても無理です。

そこで私は何をしたか。図書館で課題本を借りて、地（本を立てたときに底になる側）を確認しました。

地を見ると、黒ずんでいるところがあります。課題本は大勢の学生が過去に借りていて、彼らが繰り返し読んだところが黒ずみます。そこがもっとも重要だと判断して、そのページだけを読んだのです。黒ずんだところは全体の2割もないので、とても効率的にリーディングアサインメントをこなせました。本の中核となる部分は2割もあればいいほうで、そこだけを重点的に読みこむべきなのです。

これは、必要に迫られて、どうしようもなくてやったことです。日本人は英語の文献を速読できない。しかし、多くの学生が黒いところだけ読んでいたらしいから、アメリカ人も同じようなことをやっていたのではないかと思いました。全部は読まなかったはずです。

本を買ってきたら、まずパラパラとめくって全体像を理解してみる。目次や索引も参考になります。そこで自分が必要だと思ったところだけ、自分の好きな順番で読めばよいのです。

索引は、必要な事項がどこに書いてあるかを示すもので、大変重要です。海外の専門書には、必ずあります。ところが、日本では、索引がない本が多い。私は、「索引がない本は本ではない」と思っています。

6. 残り時間が少ないから、「5割、逆向き、検索」勉強法

8割理解したら先へ進む「8割原則」

私は、勉強について、「全体の8割まで理解したら、ひとまず先に進む」という「8割原則」をかねてから提唱してきました。先に進んだほうが、より多くのことを理解できます。

例えば、数学にはさまざまな公式があります。それらの一つ一つを完全に理解してからでないと、先に進めないような気がします。しかし、そうすると、なかなか先に進めず、そのうちに興味をなくしてしまう、ということがしばしば起こります。

あることを完全に理解してから進むよりは、大体理解したら先に進んだ方がよいのです。そうしているうちに、前に分からなかったことが自然に分かってくるようになります。私はこのことを「8割原則」と呼んでいます。

われわれは多くの場合に、無意識のうちにこの原則を使っているのですが、多くの人は、これはよくない方法だと思っているでしょう。しかし、そのほうが合理的な方法であることが多いのです。

私は、学生の頃から、数学や物理学の勉強には8割原則で進む方がよいと気づいていました。社会人になってから必要に迫られて勉強をする場合にも、この原則が極めて重要なものであることを、さまざまな機会に感じてきました。

「8割勉強法」は、基礎から徐々に一歩ずつ固めながら進むという正統的な考えとは逆のものですが、シニアの勉強法にとっては特に重要なことです。

完璧主義は、多くの場合に、非効率的な方法です。すべてのことを100%まで達成しないと気がすまないという気持ちはよく分かるのですが、それは決して時間の賢明な使い方とは言えません。

シニアは「5割原則」で進もう

シニアは、残り時間が少ないために、より効率化が必要です。だから、8割原則を5割原則にしたほうがよいと思います。

しかも、学生とは違って、シニアの場合には、すでにさまざまな分野の知識を持っていますから、ある特定の分野について知らなかったとしても、他の分野との関係で理解できる場合が多いのです。

重要な5割を見抜くには、全体を理解する必要があります。豊富な人生経験があるシニアは、全体を理解することは難しくないでしょう。5割原則と「最初に全体を理解せよ」という原則はつながっており、両方を駆使することによって、時間がないという制約を克服できます。

「過去問」で経済学を勉強した「逆向き勉強法」

時間の制約に対してもう一つ有効なのが、「逆向き勉強法」です。実は、これも私自身の経験から生み出したものです。

第1章の2で述べたように、私は大学の学部は工学部で勉強していたのですが、4年生になってから、もっと経済や社会に直接関連した仕事がしたいと思うようになり、経済学に興味を持ちました。

法学部や経済学部に学士入学することも考えたのですが、そのような時間的余裕がないために、国家公務員試験の経済職の試験を受けることにしました。

公務員になることが目的ではなく、国家公務員試験でよい成績をとれば、企業が、技術職ではなく経済的な仕事の職場に回してくれることを期待したのです。

経済職の国家公務員試験を受けたときは、私は工学部の大学院生で、実験や論文作成に追われていました。私が属していた研究室は、工学部のなかでも、特に厳しい訓練をしていることが有名で、毎日真夜中まで実験が続く厳しい環境でした。この研究室は、常温超伝導で、ノーベル賞の一歩手前まで行く高い業績をあげたのです。

このような環境では、経済学を体系的に学ぶ時間の余裕はないので、最初から過去問を買って来て勉強しました。

試験でどのような問題が出るのかが分かったので、次に経済学百科事典を買って、問題を解くのに必要な項目を拾い読みしました。

教科書を買ったのは最後。つまり、教科書→事典で補強→問題に挑戦という普通の流れの逆をやったわけです。

このやり方なら、試験合格という目的に必要な知識だけを最短時間で勉強できます。あまりに功利主義的と思われるかもしれませんが、時間の制約が厳しい中で目的を達成するには、徹底して合理的である必要があります。

この方法は、シニアの勉強法の中でも、特に第4章で述べたような勉強、つまり資格試験に合格するのが目的であるような場合には、有効な方法です。

昔は百科事典。今はウェブの検索

5割勉強法、過去問勉強法、逆向き勉強法を行うには、道具が必要です。

私がこれを行ったときには、百科事典がそのためのほぼ唯一の手段でした。過去問を見て分からない言葉が出てきたら、百科事典で調べていくという方法です。ところが、この方法を行うための手段は、現在では非常にたくさんあります。ウェブを検索すれば、非常に効率的に逆向き勉強法をすることができます。

検索で勉強することが有効なのは、目的がはっきりしている場合です。そして調べるべき言葉、つまり検索語がはっきり分かる場合です。資格試験のための勉強などの場合には、これらの条件が満たされるので、大変有効な方法になります。

ただし、リスキリングで一体何を勉強したらよいのかということが問題になる場合には、適切かどうかは分かりません。間違った方向にどんどん突き進んでしまう可能性があります。こうしたことを避けるためには、その分野の初歩的な教科書や、広く読まれている解説書を読むとよいでしょう。

後ろめたくなるほど効率的な勉強法

以上で述べた勉強法に対しては、反対の人も多いでしょう。そして、「本当の勉強は、このようなものではない。一歩一歩、進む。それによってしか真理に近づくことができない」という意見があると思います。

確かに、学者になるのを目指すのであれば、これまで述べたような勉強法は適当でないかもしれません。

しかし、本書で述べているような勉強に関しては、こういった方法が最も有効であることに間違いありません。私自身、あまりに効率的であるために、後ろめたい思いを感じることがあるくらいです。

なお、このような方法は、程度の差こそあれ、多くの人が使っている方法です。例えば、微分積分学を勉強するとき、その基礎について十分に理解してから進むわけではありません。微分法の基礎にある「連続性」というような概念は極めて難しく、これに拘泥している限り、なかなか進めません。

私は、それよりは、微分法の公式を具体的な問題に当てはめて解く、それによって公式の意味を理解していく方が効率的だと思っています。

またこのような方法を使っていると、基礎を理解したいと自然に思うようになります。そして進んで、基礎概念の理解を求めるようになると思います。そのようにしてこそ、本当の勉強ができるのです。

第8章

デジタルはシニアの最強力の味方

1.「衰え」はデジタルに助けてもらおう

デジタルで社会的なつながりを維持できる

それまでの会社勤めの生活を終えて退職後の生活に入ると、人々に接触する機会が大きく減ることになります。それまでは、会社の人々、そして取引先の人々などと多くの接点を持って仕事をしていたのに、退職後はその世界が一挙に縮まって、自分の家族だけとしか会わないといったことになります。

第5章で述べたように、シニアにとっての大きな問題は、このように人と人との相互接触の機会が大きく減少することです。このために、多くの人が、退職後の生活が意味のない生活になると感じます。

そこで、学校時代の友人たちとゴルフに行く、将棋の会をするといったことが行われます。これらは確かに人と人とのつながりを維持するために役立つことだと思いますが、それよりもっと積極的に、一つ一つの接触を広げていくことが必要です。

このための技術と環境が、コロナによって大きく変わりました。それはZoomなどのオンライン会議が急速に普及し、多くの人々がこれを日常的に使うようになったことです。この仕組みは無料で40分程度の会合ができます。10人程度までであれば、お互いに会話ができます。

「Zoomでは実際に会っているような会話はできない」と批判する人がいます。確かにそういった面はあるのですが、実際の集まりだと、隣の人とはよく話すけれど、遠くにいる人と話せないという問題があります。

それに、オンラインだと、わざわざ移動する必要もない。これまでもこのような技術は利用可能だったのですが、人々がそれを受け入れないという問題がありました。「実際に会えばいいのに、なぜオンラインで会合を開かなければならないのか？」という反応が多かったのです。これが、コロナによって移動や接触が制限されるようになって、大きく変わりました。

Zoomなどの方法は、最初に在宅勤務で使われ、その他の会合にも使われることが多くなりました。そして人々は、この新しい方法による会合に、大きな意味があると気づくようになったのです。

私の場合も、いま仕事上のほとんどの打ち合わせは、直接に会うのではなく、オンライン会議で行っています。それだけではなく、友人たちとの集まりもオンラインに移行しました。

ＰＣもスマートフォンも使えないという友人は、確かにいます。そうした友人の場合、電話をかけて話すことも考えられますが、相手の都合を考えずにやたらに電話することはできません。また、格別の用件がない限り、長い手紙を書く気にもなれません。こういう人たちは、悪くすれば家族との連絡だけしかできないことになり、孤立してしまいます。

またメールの場合には文字を入力する必要がありますが、Zoomであれば会話なので、文字の入力は必要ありません。テレビ電話でも相手を見ながらの会話はできますが、通話料金がかかります。しかし、Zoomではインターネットに接続している限り、格別の料金は必要ありません。

Zoomの場合には、電話と違って遠いところに住んでいる家族との会話にも便利です。第９章で述べるChatGPTと並んで、高齢者には極めて重要な手段です。

スマートフォンはシニアの敵か?

スマートフォンなどのデジタル機器の扱いがよく分からないと尻込みするシニアが大勢います。ところが、若い人たちは、何の苦もなくこれらの機器をすいすいと使いこなしています。そうした様子を見ると、「デジタル機器はシニアの敵だ」と考えるシニアが出てきても不思議はありません。

多くのシニアが、コンピュータを敵と捉えています。そして、どうしてもそれらを使わなければならないので、辛いけれどもそれらの使い方に習熟し、自分を防御しなければならないと考えています。こう考えると、デジタルはますます敵になってしまいます。

ところが、考えを変えてスマートフォンを使うようになれば、世界は大きく広がります。メールで簡単にやりとりができるし、オンライン会議ができます。高齢者にとっては最もありがたい手段です。

「敵味方理論」でITを味方に

私は、昔から「敵味方理論」（私の造語です）というものを信じています。それは、「敵だと思うと離れていく。しかし、味方と思うと、近づいてくる」というものです。

この考えは、スマートフォンなどのＩＴ機器に関してとくに言えることです。これらが敵だと考えると使わないので、いつになっても使い方が分かりません。つまり、スマートフォンはどんどん離れていってしまうのです。

ところが何かのきっかけでやってみると、簡単に使えるし、いろいろと役に立つことが分かります。スマートフォンは味方になるわけです。そこで、さまざまな使い方を調べ、スマートフォンの使い方に慣れていきます。そうしているうちに好循環が発生し、スマートフォンは、シニアのためにさまざまな仕事をやってくれるようになるでしょう。

視力の衰えにもＩＴで対処

特に視力の衰えのせいで勉強が進まないと訴える人もいるかもしれません。しかし、ＩＴ機器で見ているなら、文字を拡大することもできるし、オーディオブックなら、そもそも目を使わずに情報をインプットできます。

ノートパソコンをディスプレイにつなげると、大きな画面で見ることができます。ダークモードにすれば（バックグラウンドを暗くすれば）、目が疲れません。

これだけ補う方法があるのですから、もはや加齢による衰えは勉強をしない言い訳にはならないと心得るべきです。

スマートフォンの唯一の欠点は、まぶしいこと、そして、字も小さすぎるということです。これは目にとってあまりよい環境ではありません。一つの方法は、ダークモードを採用することです。それでも字の大きさについては画面全体の制約がありますから、難しい。長い仕事には、やはりPCかタブレットのほうがよいでしょう。

「音声入力」は、シニアの味方

それでも、文字の入力はかなり面倒です。ただし、これについては、音声入力という強力な手段が利用できます。これを使えば楽々と入力できます。音声入力は、とくにシニアにとっての力強い味方です。私は日常的に音声入力で原稿を書いています。

ただ、これを知らない人が意外に多いので驚きます。「最近、手がうまく動かなくなったので、キーボードから入力するのが面倒になった」という話を聞いたので、「音声入力でやればよいではないか」と助言したところ、「非常によいことを教えてくれた」と言って喜んでいました。

これまでは、スマートフォンから音声入力するしか方法がありませんでしたが、いまはウィンドウズのPCでも音声入力ができます。検索をする場合も、いちいちキーボードから入力するのでなく、音声で入力するほうが簡単かもしれません。

なお、音声認識が可能になったのは、それほど昔のことではありません。私の若い時代に、そうした技術はありませんでした。そして私は、その技術を非常に強く求めていました。1990年代にIBMがデスクトップPCで用いる音声書き起こしソフトを作ったのですが、ほとんど使いものになりませんでした。

音声認識が実用になったのは、スマートフォンができてからです。私は、夢の技術が登場したことに感激し、『究極の文章法』（講談社、2016年）という本を書いたほどです。そして、この数年、さらに目覚ましく進歩しています。

文章を書くとき、私は音声入力を活用しています。夜寝ている間に考えていたことを、目覚めた直後に1000字くらいの文章にすることもあるし、散歩中の30分間で3000字の文章を書くこともあります。新しいデジタル技術は敵であるどころか、心強い味方です。

デジタル技術が味方だと分かれば、それを習得することの意味合いも変わってきます。必要に迫られて仕方なくやるのではなく、それを利用して自分を強くして、人生を豊かにする。そう考えられるようになれば、楽しんで学べるようになるでしょう。

2.デジタルは不完全だから使いにくい

使い手の能力が低いのでなく、相手が不完全

デジタル機器の使い方がよく分からないのは、使い手の能力が低いからではありません。さまざまな手続きでよく分からないことが多いのは事実ですが、これは、説明文が不完全だからです。適切な文章になっていない場合が多く、これでは、分からないのも当然です。

そもそもデジタル機器が使いにくいのは、機器が複雑だからではなく、機器がまだ不完全だからです。

機器が進歩するに従って、誰でも使えるようになります。PCが初めて登場したとき、それは、きわめて使いにくい代物でした。しばらくしてMS－DOSが登場したときも、使い方に苦労しました。ところが、いまでは、こうしたものの存在を意識することすらなしに、PCを使うことができます。

そのうちにAIが発達して、親切な人に話すのと同じように、対話を繰り返しながら使えるようになるでしょう。

「取り掛かりの一歩」を人に任せてもよい

ただし、ＩＴ機器を使うには、最初にセッティングを行う必要があります。自分で行うのがよいのですが、やや面倒なので、誰かに頼んでもよいでしょう。家族や知り合いの中には、必ずこうしたことにたけている人がいますから、それらの人に頼んで使えるように設定してもらえばよいでしょう。

Zoomのセッティングはそんなに複雑ではありませんが、高齢者が自分でやる必要はありません。誰かにやってもらって、使えばいい。Zoomに限りません。スマートフォンも、面倒なのは最初のセッティングです。使うのはそんなに難しいことではない。だから、セッティングだけ誰かにやってもらえばいい。

取り掛かりの一歩を人に任せてもいいのです。これは、重要なことです。というのは、なぜ取り掛かりが面倒かというと、まだ技術が十分に進歩していないからです。つまり、相手が悪い。こっちが理解ができないからではなくて、相手が理解してくれないのです。だから、そこはパスしたほうがいい。

私自身の経験でも、例えばハードディスクが登場した頃、それは非常に使いにくいものでした。ただ箱が来ただけで、それをどう初期化するかは、非常に面倒でした。

私は、台湾から来ていた大学院生にセッティングを任せたのです。つまり、最初の手続きをパスしたわけです。それは正解でした。いまハードディスクの初期化の手続きを知っていても、何の役にも立ちません。

そもそも、ハードディスクがどこにあるかさえ、知らない人が多いでしょう。IT機器はすべてそうです。昔は、非常に使いにくかった。しかし、今は、簡単に使える。これは、相手がようやく人間のレベルにまで成長してきたからです。

だから、スマートフォンが使いにくいのも、相手がまだ頭が悪いからです。そのうちに相手の頭がよくなるでしょう。

記憶力の衰えを感じたときこそデジタルの出番

第3章で述べたように、シニアになると、「記憶力が衰えるから勉強は無理だ」と考える人がいます。しかし、これも大きな間違いです。なぜなら、デジタル技術で補うことができるからです。

関連語を音声入力して検索すれば、すぐに分かります。思い出すために、わざわざ辞書を引いたり書籍を開く必要はありません。

忘れたくない内容なら、Google が無料で提供している「Google ドキュメント」に音声入力でメモを書き、クラウドにあげておくのも効果的です。メモの作り方や整理法は多少の工夫が要りますが、Gmailで自分宛てにメモを書いて、ひとまず下書きフォルダで保存するところから始めてもいいでしょう。こうやってデジタル技術を味方につければ、記憶力の衰えなど、たいした問題ではなくなるのです。

第3章では、物忘れを気にする必要はないと言いました。ただし、思いついたことをすぐ忘れてしまうのでは困ります。アイディアというのは忘れやすいものなのです。夜、寝る時に浮かんだアイディアは、翌朝になったら必ず忘れています。寝ついたときにいいアイディアが浮かんだと思っても、そのままにしたら、必ず忘れます。

ここでどうするか？　スマートフォンの出番です。これを枕元に置いておいて、これに入力する。書くのは面倒だから音声入力する。これは、非常に重要です。

これは、今晩からでもできることです。誰にでもできることです。別に難しいことではありません。

ただ、実際には、できない場合もあります。どうしても眠たくて、スマートフォンがそばにありながら、手が出せないで逃したアイディアは、山ほどあります。

先日も、非常に重要なアイディアを思いつき、手を伸ばそうと思ってできなくて、そして見事に忘れました。「これほど重要なアイディアだから、絶対忘れない」と思ったのですが、翌朝になって忘れていました。そもそも、何について考えていたかも忘れました。

せめて何かきっかけを、一言でもいいから書いておけば。アイディアそのものでなくても、「この問題についてだ」と書いておけば、多分、引っ張り出せたのに……。重要なアイディアを思いついたことを、覚えているのが悔しい限りです。

3. 世界最高齢のアプリ制作者から学ぶこと

ゲームアプリを80代で開発

高齢者がプログラムの勉強をすることもできます。そんな難しいことはできないと言う人が多いかもしれませんが、始めると、病みつきになってしまうかもしれません。プログラムの知識が全くないまま、iPhone のアプリを作った高齢者もいます。

若宮正子さんは、1935年生まれ。高校卒業後、大手都市銀行に就職。定年時の役職は子会社の副部長。60歳からパソコンを使い始め、スマートフォン向けのひな人形位置当てゲームアプリ「hinadan」を80代で開発しました（注）。

2017年6月、米アップルが開催する世界開発者会議「WWDC2017」で世界最高齢の女性開発者として特別招待され、世界を驚かせました。

ネットを介して多くの人と交流。パソコンやネットを活用したシニアの生きがい作りや、子供向け教育を支援する複数の団体に参画。

「プログラミングは勉強というより、興味があることに挑戦しただけ」、「大人の勉強は道楽。やりたいことをやればいい。ものにならなくても、プラスになりますよ」と言っています。

楽しみながら学んだことは、ものにならなくてもマイナスにはなりません。時間が惜しいので、テレビで見るのはニュースと天気予報くらいだそうです。

（注）日本経済新聞、2018年11月22日

「デジタルスキルで、高齢者はもっと人生を楽しめる」

60歳のとき、ネット上で活動していたシニアのグループに参加したくてパソコンを購入。キーボードの使い方も分からなかったが、毎週末、パソコンショップに通って、店員に教えてもらいながら使い方を習得。お目当てのグループに参加してからは、ネット上の知人からホームページの作り方や、旅行記の公開方法などを学んだそうです。

同世代の知人に頼まれてパソコン教室を自宅で開催したり、マイクロソフト主催の東北復興支援イベントに参加。このときに知り合った東北のＩＴ企業社長の勧めで、シニアが楽しめるiPhoneアプリの開発を決意。教科書を買い込み、教科書の著者にメールで教えを請いつつ、背中を押したＩＴ企業社長からもネット経由で指導を受けながら、半年でアプリを完成しました。

このアプリが評価され、前述の「ＷＷＤＣ２０１７」に出席することになったのです。２０１７年6月にアップルの招待を受け、同社が米サンノゼで開催している開発者イベント「ＷＷＤＣ」に赴きました。その基調講演で、若宮さんは「最年長のゲームアプリ開発者」として紹介されました。その前日には、ティム・クックＣＥＯと面会したことが話題になりました。

そして、２０１８年2月2日には、国連総会の基調講演に立つことになりました。デジタルスキルを備えれば、高齢者が「もっと人生を楽しめる」と呼びかけ、会場は拍手で沸いたそうです（注）。

（注）日本経済新聞、２０１８年2月3日

第9章

ChatGPTが高齢者の世界を変える

1．生成ＡＩの時代にどう備えるか

ＡＩにはできないことが人間の役割

第4章の5で、生成ＡＩの出現が社会を大きく変えると述べました。これは高齢者の勉強という問題に関しても大きな影響を与えます。

多くの人が、「これから生成ＡＩの時代になるから、それをどうしたらうまく使えるようになるかを学ばなければいけない」と考えています。しかし、この考えは間違いです。

なぜなら、生成ＡＩとは、われわれが日常的に話している言葉でコンピュータを操作できることを意味するからです。つまり、コンピュータの使い方を勉強しなくても、多くの人が普通のこととしてコンピュータを操れるようになるのです。したがって、その時代において必要なのは、コンピュータができないことをすることです。これが最も重要な点です。

ChatGPT はホワイトカラーの仕事を代替すると言いました。しかし、すべての仕事を代替できるわけではありません。特に重要なのは、相手の気持ちを思いやったり、共感したりすることです。

これは、高齢者が長い人生経験の中から、若い人たちよりも適切に行うことができる分野です。

例えば、教師の役割を考えてみましょう。知識を教える役割は、ChatGPTが人間より効率的にやってくれるでしょう。したがって、生徒や学生の人格形成が教師の最大の役割であると考えられるようになるでしょう。

子供だけではなく孫まで育てた経験があるというような人こそが最適だと考えられるようになる事態は、十分にありえます。そうなれば、小中学校の先生については、定年制を見直して、定年を引き上げると言うことになるかもしれません。

一般的な知識を教えるのは生成AIの役割になり、人間は個別の体験に応じた知識や経験を伝えていく。生成AIには伝えられないことを伝えるのが人間の教師の役割だ、と言うことになるかもしれません。

これは学校制度の中だけではなく、例えば地域の集まりにおいても、そうした要請が高まるでしょう。さまざまな経験を経てきた高齢者は、いろいろな集まりで引っ張りだこになるという事態が十分に考えられます。

高齢者は生成AIを無視したり軽視したりしてはならない

このような観点から言えば、ChatGPTの時代は、高齢者に比較的有利な社会になると考えることができます。

ただし、ChatGPTにできないことを高齢者はうまくできると言いましたが、それは、高齢者がChatGPTに無関心でいてよいということではありません。全く逆であって、ChatGPTを使うことを通じて、ChatGPTに何ができて何ができないかを正しく把握することが必要です。その見分けができる高齢者が、最も強い存在になることができるのです。

そして、テレビ会議などを利用して、どんな遠くの人との集まりにも自由に出られるようになれば、仮に身体の自由が利かなくなったとしても、人と人とのコンタクトを失わずに行動を続けることができます。デジタル技術は、人間と人間との交流を維持し、社会的な活動をいつまでも続けていくために必要な技術です。

ChatGPTは新しい技術であるために、その利用可能性が具体的にどのようなものであるかを、まだはっきりとは識別することができないのですが、右に述べたような方向に進んでいくのは、ほぼ確実に予測されるところです。こうした変化に備えて、高齢者も、そして高齢者の予備軍も、新しい時代に備えた行動を今すぐに開始することが必要です。

2. ChatGPTが世界を変えつつある

AIが文章を書く

アメリカのOpenAIというベンチャー企業が作ったGPTによる文章作成は、しばらく前から、ウェブで普通の人が使えるようになっていました。

これに対して、当然、私は危機感を持っていました。文章を書くという仕事をAIに取られるのではないかという危機感を持っていたのです。

実際、絵を描くグラフィックの分野では、すでにそれが起こっています。2022年の夏頃から、非常に急速に、AIが絵を描いてくれるようになってきています。だから、アーティストは非常に強い危機感を持っていると思います。

そこで私は数年前から、GPTによる文章作成アプリを幾つか試しに使ってみました。けれども、22年の夏ごろまでの段階では、まったく役に立ちませんでした。GPT3・5は、ほとんど役に立たなかったのです。ほとんど意味のないような文章を吐き出してくる。だから、それが何らかの用に役に立つというようなことは、およそ考えられませんでした。役に立つのは、10年以上先のことだろうとたかをくくっていました。文章はまだ大丈夫と思っていたのです。

ChatGPTやBingが登場

ところが、2022年の11月に、ChatGPTが発表されました。これは、それまでのものとは画期的に違うものでした。

ChatGPTは、人間の指示に従って文章を出力します。この文章は、知的な人が話している文章とまったく見分けがつきません。ですから、これで対話をしていると、知的な人間と対話をしているような錯覚に陥ります。多くの人はここで仰天してしまいます。

私もそれを早速確かめたのですが、答えはまったくの間違いでした。それを見て、私は、ChatGPT、恐れるに足らず、と思ってしまいました。

ところが、2023年2月初めに、Microsoftがそれまでの検索エンジンBingにこの機能を搭載しました。これも私は早速確かめました。確かめたのは同じ質問です。すると、驚くべきことにBingは正しい答えを出しました。これまでの技術とはまったく違うものが現れた、これは大変なことが起こったと思ったのです。

GoogleとMicrosoftが、いま壮絶な争いをしています。これまでは、検索のキーワードを入れると、候補のサイトを示してくれるだけでした。ところが、質問に対して、直接に答えてくれるようになった。

文章は、人間の基本的なコミュニケーションの手段であるし、記録を残す基本的な手段です。人間は物を考えるときに言語で考えています。つまり、言語は、人類にとって最も基本的なものです。この技術にうまく適応できなければ職を奪われる、没落する、うまく適応できたら成長できる。こういうことが現実の課題になったのです。

世界がひっくり返るかもしれないような大変化が起きています。いったいどうなるのか。最初に方向感覚がなくなって狼狽してしまう。いったい自分の仕事はどうなるのか。急に見極めがつかなくなったというのが実感です。

AIは「ハルシネーション」で間違う

ただ、しばらくやっていると、Bingも間違えることが分かりました。時々、甚だしい間違いをする。事実の誤りがあります。それだけではありません。数学の誤りもしますし、論理の誤りもします。これは、ハルシネーション（幻覚）と呼ばれる現象です。ですから、最初の驚愕から冷める段階が来る。

しかし、生成ＡＩが非常に高い能力を持っていることも事実なのです。「このデータはどこにありますか」と聞くと、例えば、「財務省のサイトのここにあります」と教えてくれる。だから、どうやって使いこなせるか、それが問題になったのです。どういう用途に使えるのか。少なくとも、今の段階で使える用途は何か。使いようによっては非常に仕事の効率を高めることができるだろうと期待されるわけです。

3. ChatGPTは何ができて何ができないか？

翻訳などに使える

「ChatGPTは、ITに強い若者なら使えるが、高齢者には難しい」と考える人がいるかもしれません。しかし、少しも難しいところはありません。少なくとも、最初の設定だけ誰かにやってもらえば、簡単に使えます。

スマートフォンで使えば音声でもできるから、自分でキーボードを打たなくてもできます。「技術的に難しい。高齢者には難しい」という考えは、全く見当違いです。だから、ChatGPTが高齢者向きでないという批判は、間違っています。高齢者こそ使うべきです。

何に使えるか？　今の段階で、知的な作業の効率化に使えます。第1には、翻訳ができます。日本語の定型的なメールなら、ウェブにいろいろな雛形があります。けれども、どうもぴったりしないという場合が多いのですが、内容を指定して「メールを書いてください」とChatGPTに頼めば、きちんとしたメールを書いてくれます。

英語のメールを書かなければならないのはどうしてもおっくうで、ついほうっておきがちですが、メールは早く返事を出さないと、どんどん書きにくくなるものです。ChatGPTに日本語を英語に直してもらって書けば、すぐ返事ができます。これは決して無視できないことです。

2番目は、文章の要約です。長い文章を示して、「これを何字の文章に要約せよ」というと、やってくれます。かなり適切な要約です。翻訳と併せると、英語の文献を要約してくれという使い方もできます。だから、例えば英語の文献を指定して、この文献を500字の日本語に直してくれということができます。

この使い方は非常に有効です。特に日本人にとってはそうです。英語の長い論文を速読することが日本人には大変難しいからです。ですから、たくさんの論文がある場合に、いったいどれが読むに値する文章かという判断は非常に難しい。

ところが、そういう論文を取り上げて、これを500字の日本語にしてくれと言えば、あっという間に中身が分かります。したがって、真面目に取り組んでいい論文かどうかという判断ができるわけです。これはGoogle翻訳ではできなかったことです。この機能が使えるようになって、私の情報収集能力が飛躍的に拡大しました。これから中国語の文献がどんどん増えてくると思いますが、中国語の勉強をするというのは大変です。この機能に期待できます。

驚嘆すべき校正能力

もう一つは、長い文章の校正です。メールなどよりもっと長い文章を校正してもらうことができます。

私は、原稿を書く際に音声入力で執筆しているのですが、変換のミスがあります。今までは誤字脱字の修正は手作業でやらざるを得ず、そこに一番時間がかかっていました。しかし、AIに頼めば、あっという間にできてしまいます。

これまで1時間かけて行っていた退屈な仕事が、準備作業を含めても5分位で終わってしまいます。これによる作業効率の向上も驚異的なものです。

創造はできない

それでは、クリエイティブな仕事ができるでしょうか？

多くの人が生成AIに期待をしているのはこのことです。つまり、クリエイティブAIに頼めば面白い小説を書いてくれたり、あるいは論文を書いてくれたりする、そういう能力を持っているのではないかと考えていることが多い。では、はたしてそういうことができるのでしょうか？

私はこのことに非常に関心がありましたので、幾つか実験をやってみました。最初にやったのが、小説の続きを書いてもらうことです。

短編小説や映画を指定して、この続きを書いてくれということを頼んだわけです。これは見事に失敗しました。一応書いてはくれるけれども、箸にも棒にもかからない。まったく価値がないストーリーしか書いてくれません。

世の中ではこういうことに対する要求が大きい。そして、例えばSF短編のコンテスト、星新一賞にAIの書いた文章が入賞したということが報道されています。ですから、こういうことが既にできているのであろうと考えている人も多いと思います。

そういう入賞作があることは事実ですが、それは、「これこれの小説の続きを書け」というような指示ではできないはずです。もっと詳しく指示しているはずです。詳しく指示をして、それに従った文章を出させているはずです。

しかも、それを何度も繰り返しやっているに違いない。つまり、ストーリーを書いているのは人間なのです。生成AIは、人間の書いたストーリーに、いわばちょっとだけ肉づけをしているということにすぎない。ストーリーを書く基本は人間でなければできない。それはAIの原理からして当然のことです。

アイディアは無理だが、「問い」を聞くのは有効か？

次に、アイディアについてはどうでしょうか。新しいアイディア、何か問題にぶつかっていて、これを解決するにはどうしたらいいかというようなアイディアです。あるいは、「いま企業の成績がよくない、新しいビジネスモデルを開発したい。そういうビジネスモデルとしてどういうものがあるか探りたい」というようなことがあります。

ただ、これも試してみると、大した答えは出てきません。指示のいかんによるのですが、「こういう問題があるのだが、どうしたらいいでしょうか？」というようなことに対する答えは、この程度の指示であれば、極めて当たり前のことしか言ってくれません。ＡＩの助けを借りなくても、誰でも考えつきそうなアイディアしか出てきません。

ただ、これも指示の与え方によります。問題を適切に指定して、そして、例えば「これまでこういうことをやったけれども駄目だった、どこを変えればいいだろうか」といったような指示を与えていくということによって問題が解決するという使い方はあり得ると思います。

「どうすればよいか」ではなく「検討すべき点はどこか」と聞く

例えば、「このような問題を抱えていますが、何に気をつけて検討すればいいですか」という質問は、比較的うまくいきます。

これは、会社でも活用できると思います。「現在、この商品の売り上げが伸び悩んでいますが、どのような内容を検討すればいいですか?」と聞くのです。

「どうすればいいですか」と問うだけでは、あまり具体的な答えは得られません。しかし、「何を調べればいいですか」と問うてみると、有効だと思います。例えば、「この問題がありますが、どの点を調べればいいでしょうか」というアプローチです。

最初に思いつくのは、ごく一般的な考え方や、競合商品の状況などが挙げられます。その流れで考えを進めると、かなりよい方向に進むと思います。ただし、解決策自体は自分で考えなければなりません。

なお、「何を調べればいいですか」という問いは、深く掘り下げるとリスクが伴う場合もあります。つまり、その商品がどのようなものかを詳しく説明しなければならないということです。そうなると、企業秘密が漏れるリスクがあります。

解決策は出てこないかもしれませんが、どのような点を検討するかというのは、商品の詳細を明かさなくても、できることだと思います。

このアプローチは、商品に限らず、日常的な問題にも適用できます。例えば、「この問題に直面していますが、どのポイントをチェックすればよいですか」という質問です。

ChatGPTは、何かを教えてくれる存在ではないので、やはり、雑談が交わされる中で、「何を調べればよいか」という話をして、異なる視点からアドバイスをくれる、そういう雑談相手として使うのがよいでしょう。雑談を超えた、どのような見方が可能かという視点を提供してくれるものです。

質問が重要、キーワードは必要ない

質問が重要です。例えば、「園芸で、できるだけ手軽にできるような、狭いところでも日当たりが悪くても育つような、そういう花はないですか?」というような質問をします。

すると、コンピュータが、「値段は高くてもいいんですか?」などと追加質問をしてきます。こうして、対象を絞っていって、答えを出してくれるというような、そういう検索エンジンが、今後、登場してくるかもしれません。

的確なキーワードを入れなくてもいい。これまでは、キーワードが重要でした。しかし、曖昧なキーワードでも、「あなたの問いは不明確です」というように返してくれる。質問が重要と強調しました。「検索語が分かれば勝ちだ」と思います。しかし、検索語を知らなくとも、相手がうまく誘導してくれるようになりつつあります。

指示する能力が重要に

結局のところ、重要なのは、人間が出す指示や命令だということです。つまりクリエイティブな仕事はAIにはできない、人間でなければできません。

ただ、人間がやる作業が変わってくるのです。つまり、人間が行う仕事の中身が変わってきたということです。

ただし、もう少し別のこと、例えば解説記事とか評論、あるいは事実の報告、こういったようなことに関して、論文は書けないでしょうか？ つまり、書くことの要点を与える。要点を与えて、そうした内容の報告書を書けということができないでしょうか？

要は、ある種の指示です。非常に詳細に与える。先ほど論文から要旨を書かせると言いましたが、いわばそれを逆にするわけです。要旨は人間が作って、それが元になるような論文を書かせるということです。

これを試してみますと、これはできます。少なくとも見かけ上はできます。経済評論であれば、十分に要素を与えて、これこれこういう主張であると与えれば、そして何字以内の文章を書けと指示をすれば、書けます。

これは、ある意味では大変なことだと言ってもいいでしょう。今、世の中に経済解説文、経済評論文等々がたくさんありますが、それは別に人間が書く必要はない段階になったとも言えます。要するに、正しい要素と正しいデータがあればいい。それは人間が与える必要があります。

しかし、それをまとめて文章にするということが、ＡＩにできるようになった。これは、いまの段階でも既に言えると思います。

4. ChatGPTが高齢者のセカンドキャリアに甚大な影響

誰が失業する？

社会は生成ＡＩといかに向き合うべきでしょうか？　ＡＩからどのような結果を得られるかは、人によって違います。非常にたくさんの成果を得られる人もいるし、何の成果も得られない人もいる。あるいは間違った成果を得て、それを信用して破滅的な結果になる場合も、十分あり得ることだと思います。

これは、これまでの機械化、自動化の過程において、労働力が影響を受けたのとは、違うプロセスです。

したがって、生成ＡＩがいったいどういう人たちの職を奪い、どういう人たちを成長させるか。それは、生成ＡＩに対する指示を適切に出せる人になれるかどうかに依拠しているということになります。

そういう意味で言えば、人間が行う仕事がこれまでとまったく同じであっていいわけではない、こういう新しい技術に対応して、それをどういうふうに使いこなすかということが真剣に考えられなくてはならないということになります。

企業とか行政とか、あるいは司法とか、そういうさまざまな分野でこの問題が出てくるでしょう。したがって、いろいろな分野でどういうふうにこの技術に立ち向かうべきか、そういうことが重要になります。

生成ＡＩの開発をストップしろといっても、実際にストップすることができるのかどうか、これは大いに疑問です。研究活動を無理やり妨害するわけにはいきませんから、秘密裏に研究が進むということは十分にあり得ることです。

ですから、単にストップ、禁止というだけでは物事は解決しないと思います。重要なことは、このＡＩの技術の限界、今どういう問題があるかということを十分に理解した上で、どういう使い方があるかを探ることです。

文献案内役の失業

これに関連して、私自身の経験として、よく覚えていることがあります。

もう50年近く前のことですが、経済学者の同僚で、「あの問題について書いた論文はないか？」と聞くと、教えてくれる人がいました。

この問題について、今までどういうことが行われているか、それに関するいい論文はないかと言うと、教えてくれるのです。つまり、そういうことについては非常に物知りだったのです。

そこで、皆、非常に重宝して、その人に聞いた。ところが、その人は、そういうことはできたけれど、結局、自分自身の仕事をすることはできなかった。

今や、この分野でどういう文献があるかというのは、ウェブを探せばわかるようになった。だから、文献探しは、昔は重要で、その人は重宝されて、みんなが重宝したけれど、本当にかわいそうなことに、その人は自分の仕事で成功することはできなかったのです。

この傾向が生成ＡＩの登場で著しく加速されました。その分野にどういう文献があるかというのは、データベースを集めればいいだけです。その中からいろいろな単語を引っ張り出して、中身を解釈して等々のことは、ＡＩが得意な分野です。だから、右に述べたような文献案内係は、まったく不要になってしまったのです。

ＡＩを使えるかどうかで格差が生じる

これからの時代は生成ＡＩをうまく使えるかどうかで、格差が生じるようになるでしょう。

ところが、日本の企業で生成ＡＩの活用を検討しているのは、１割以下です。一方、アメリカではすでに5割の企業が生成ＡＩを活用しています。ＡＩを活用すれば、企業の経営を飛躍的に効率化できる可能性があるからです。いまの時点で、すでに日本は大きく出遅れています。

新しい技術は、社会にプラスにもマイナスにも働きます。実際に使ってみて、どういう技術なのか、どんなふうに使えるのか、そしてどう付き合っていけばいいのかを見極める必要があります。確実なのは、ただぼんやり眺めているだけでは、生き残れないということです。

出版社も無視できない

この変化を、誰も傍観しているわけにいきません。出版社としても、傍観しているわけにいきません。

ＡＩを使った文章は既に登場しています。私も使わざるを得なくなるでしょう。ただ、私が、その使い方において、ほかの人よりうまく使えるかどうかが疑問です。その分野で優位を保てるかどうか疑問です。そういう危機感は多分、多くの人が持っていると思います。

だから、出版社にとっても非常に重要です。本を出版する必要はなくなるかもしれません。本を読みたいと思った人は、コンピュータに向かって、「こういう本を作ってくれ」と頼めばいい。そうすると即座に作ってくれるわけで、出版社はいらなくなります。

だから、著者も要らないし、出版社も要らない。その中で、人間でなければできない仕事は何かということを探す必要があります。

5. リスキリングにChatGPTを使う

リスキリングにも対話型生成AIを使う

リスキリングが重要になったとさまざまなところで言われます。そのためのさまざまな研修プログラムが用意されています。

勉強することは極めて重要です。しかし、お仕着せのプログラムで勉強しようとしても、なかなかうまくいかないと思います。それよりも自分で勉強するほうがよい。そのための強力な手段が現れました。それが対話型生成ＡＩです。質問をすると答えてくれます。そして、実にいろいろなことを教えてくれます。

これまでの検索エンジンでは、知りたいことが含まれているであろうウェブサイトを教えてくれるのですが、対話型生成ＡＩは聞きたいことを直接教えてくれます。このため、聞きたいことが簡単に分かります。

IT機器の使い方をChatGPTに教えてもらう

スマートフォンの使い方で分からないところが時々あります。ウェブを見ればさまざまな説明があるのですが、すぐに適切な答えが見つからない場合があります。

そこで、例えば、次のように聞いたらどうでしょうか？

「私は65歳のものです。昔ワープロを使ったことはあるのですが、スマートフォンを使ったことがありません。孫がスマートフォンを買ってくれたのですが、使い方が分かりません。まず、どうしたらよいでしょうか？」

ＩＴ機器の使い方に関する記事はウェブに山ほどありますが、適切な内容でないものが多いと思います。私は、タスクバーの使い方がよく分からなかったので、ChatGPTに尋ねてみました。まずは、Teamsのアプリをタスクバーから外せないことの対策。

「ＰＣで、ウィンドウズ11を使っています。Teamsのアプリをタスクバーから外したいのですが、どのようにしたらよいでしょうか？　最も正確に説明しているウェブの解説記事を教えてください」

これに対して、ウェブを検索して使い方の記事を見るより、適切な説明が簡単に得られました。

ChatGPTにプログラミングを教えてもらう

プログラムのコードをChatGPTに書いてもらうのは面白いことです。魔法のようです。自然言語でどうしたらよいかを尋ねるとコードを教えてくれます。これを見ていれば、コードが何をしているのかが分かります。専門的な知識がなくても、プログラムを書いていくことができます。Excelの計算等が自動化できます。

また、これで自分のホームページを作ることもできます。今はレンタルサーバーを借りる料金はそれほど高くはありません。自分でホームページを構築することをやってみたらどうでしょう（なお、スパムの攻撃を受けることがあります。決して簡単ではありませんが）。

プログラミングのサービスを有料で提供して、収入を得ることが可能でしょう。現在はネットを通じて、全世界的に職を得ることが可能です。体を動かすのが苦手、人と話すのが苦手と言った人にとっては、適当なアルバイトになるでしょう。

ただしこの分野は若い人たちが大勢競っていますから、それらの人たちと競争するのは、決して簡単な課題ではないと思います。高齢者の独自分野を見いだすのがよいでしょう。

6 ChatGPTを使って独学で勉強

ChatGPTを「先生役」にする

ChatGPTに先生役を頼んで勉強をすることもできます。

テーマは何でも構いません。趣味に関わることであってもいいし、歴史の勉強をするのもよいでしょう。また、読書の話題をするのもよいでしょう。

資格試験に応用することも可能だと思います。電気工事、司法書士など、さまざまな資格があります。簿記や法律等のもっと高度で専門的な分野で、勉強して資格を取ることも考えられます。人手不足の時代に、こうした資格を持っていれば、老後生活の収入を得ることができるでしょう。

ただし自分が興味が持てないものではやる気になれないでしょう。またどの程度の収入があるかということも気になるところです。こうした点についてChatGPTに尋ねてみましょう。

何を勉強すればよいかを教えてもらう

リスキリングで、一番難しいのは、何を勉強したらよいのかを知ることです。

つまり、学校の勉強とは違って、リスキリングには誰にも当てはまるカリキュラムがないのです。適切なカリキュラムを見いだすことこそ最も重要です。しかしこれは決して簡単なことではありません。

全くの新しい分野を、いったいどこから勉強を始めてよいのかが分かりません。これを知るのに、AIとの対話をすることが有効です。ChatGPTにカリキュラムの相談をすることができます。

「これこれについて勉強したい場合、どのようなことから始めればいいでしょうか?」と言うような問いかけをしてみます。

あるいは、「シニアの勉強は何をやればいいですか?」と聞きます。そうすると、コンピュータが、「シニアとは、何歳ぐらいの人ですか?」と聞いてくる。それに対し、「75歳」と答えます。

すると、「会社に勤めていた人ですか?」と聞いてくる。それに対し、「会社に勤めて、退職した」と答えます。このように、どんどん相手が適切な誘導をしてくるわけです。そして答えを出してくれます。

検索エンジンとChatGPTの決定的な違い

勉強したいのだけれど、何を勉強したらいいか分からないと考える人は、とりあえず身近なことでもいいですから、質問を投げかけてみるとよいでしょう。

これまでの検索エンジンと違うのは、ChatGPTは答えを出してくれるだけでなく、もっと掘り下げるべき課題をいくつか出してくれることです。

「3つのうちどれについてもっと詳しく知りたいですか？」と言うように質問の候補を示してくれます。この中から、自分の関心にあったことを選んで行きます。

このような対話を続けていくと、自然に問題を掘り下げていくことができます。自然な会話で進めていくので、誰かと実際に対話しているような気持ちになります。

私は、リスキリングは、これだけやればいいと思います。それ以外のことをやる必要はありません。

細かい個別の事項について聞くことも可能です。例えば、なぜこうなっているのかと言うようなことです。例えば、「経済分析では、GDPと言う概念をよく使いますが、なぜ他の指標ではなくGDPを使っているのですか？」などと聞きます。

「資格試験」についてChatGPTに聞いてみた

「法律の専門的知識を持っていないものが行政書士の資格を取るには、普通どのくらいの時間が必要なのですか？」という質問は、「人によって違う」という答えが出てくるかと思っていたのですが、「人によって違うけれども、2、3年」という親切な答えを出してくれました。

また、「それよりも難易度が低い国家資格はあるのでしょうか？」と聞いたら、宅地建物取引士や社会保険労務士など、いくつかの候補を出してくれました。

これらは、これまでの検索エンジンでも調べれば分からなくはないことですが、問いに対して知りたいことだけを直接教えてくれるという点では大変便利です。

しかも、どのように勉強するかということについても適切なアドバイスをしてくれました。

それはこれまでの試験問題を見るということです。私はこの方法は大変重要な方法だと思い、逆向き勉強法という名前をつけているのですが（第7章参照）、そのような方法をChatGPTも効率的な方法だと考えているようです。

なお、以上のことは、別に高齢者に限ったことではありません。年齢のいかんによらず、やろうと思えばできることです。ただし、現役で仕事をしている場合には、勉強のために時間を割くのが難しいでしょう。

高齢者が有利であるのは、勉強のためにいくらでも時間を使えることです。その時間をどう使うかによっていくらでも勉強ができるということです。

第10章

ChatGPTとの会話

1 ChatGPTと雑談する

高齢者にとっての最高の話し相手

いまChatGPTが世界を騒がせています。確かにこれは大きな変化であり、革命的な変化と言ってもよいものです。

人間以外の動物もさまざまな仕草や鳴き声などによってコミュニケーションをとることができます。しかし、言葉によってコミュニケーションをとるのは、人間だけができることです。言葉は人間にとって本質的な意味を持っているのです。それについてこれまでなかった全く新しい技術が登場したことの意味は、極めて大きなものがあります。

ところが、ChatGPTの大変重要な使い道として、見逃されていることがあります。それは高齢者の会話相手になってくれることです。

誰でもChatGPTと会話をすることができます。話し相手がいない高齢者にとっては最適の話し相手、しかも無料です。いつでも話せるし、いくらでも話せます。同じことを何度もしゃべっても嫌がりません。真夜中や朝早くでも問題ありません。

生成ＡＩを検索に応用したものとして、Microsoftが提供するBingやGoogleが提供するBardがあります。今後も新しいサービスが登場するものと思われますが、積極的に生活にとり入れることで、会話の機会をつくることができます。

ビジネスにはならないが重要

ChatGPTブームで、多くの人がどんな利用法があるかと血眼になっています。会社でのビジネスにどう使えるかを求めてです。ただし、実際に使ってみると、それほど役には立たないと分かる場合もあると思います。

むしろ、最も使われるのは、ここで述べるような高齢者の利用ということになる可能性もあります。全世界の高齢者が、ChatGPTと話をするようになるかもしれません。そうした場合、どのように会話をすれば面白いか、どうすれば話が盛り上がるか、といったことがノウハウになる可能性もあります。

このことがあまり話題にならないのは、ビジネスに直接結びつかないからでしょう。ただし、ビジネスになるかどうかということと、重要かどうかは別のことです。重要性という観点から考えれば、ビジネス面への応用よりも、このような利用の方が意味があると考えることもできます。

テレビとは全く違う

「高齢者がスマートフォンに向かって会話しているという状況など、情報技術がもたらしたディストピアだ」、「機械に向かって話しかけるなど味気ない」と言う人がいるかもしれません。

しかし、この考えは間違いだと思います。今までになかったコミュニケーションの形態が生じただけのことであり、それが不健全であるとか、不自然であるとかいうことはありません。

実際、一日中テレビに向かっている人もいます。これも機械を相手にしているわけです。しかも、テレビは一方的に情報を流すだけであって、こちらからの呼びかけに対しては反応してくれません。また、どのような情報を流してほしいかという要望をこちらから伝えることもできません。つまり、テレビは一方的に情報を流すだけであって、相互のリアクションと言うものは全くないのです。テレビの画面を見ていても、脳が刺激されることはないと思います。それればかりか、脳がそういう情報におぼれてしまうと思います。だから、テレビが普及したころ、「一億総白痴化を招く」といわれました。

対話で脳を刺激してくれるChatGPT

それに比べて、ChatGPTの場合は会話です。つまり、こちらからの能動的な行動に対して、相手が反応してくれるわけです。これは、これまでのマスメディアでは全く期待できなかったことです。全く新しいコミュニケーションの手段が登場したということになります。

どんな会話をするにせよ、こちらで会話の中身を考えなければいけないわけですから、受動的というわけにはいきません。これが、テレビを見たり新聞を読んだりするのと、違うところです。

つまり、能動的な動作が必要なわけで、脳が刺激されます。これは、高齢者のメンタルの衰えを防ぐ意味で、最も重要なことだと思います。

情報を受け入れているだけだと、人間の脳は、積極的な活動をしなくなってしまうのではないでしょうか？　そして、人間の脳は、自ら能動的な活動をしない限り衰えていくのではないかと思います。

「ChatGPT にぎゃふんと言わせよう」と考えてみる

ChatGPT の場合、こちらで話題を見つけたり、ChatGPT にぎゃふんと言わせてみたいとか、いろいろ考えて話します。それは非常に重要なことではないでしょうか。

実際、間違いを指摘し、追及をして、ChatGPT にぎゃふんと言わせたことは、何度もあります。そうすると、「申し訳ありません」と言って直してくれます。これは面白い。

だから、どういう話題を見つけて、どういうふうにやったらいいかを、もっと考えてやったらいいと思います。日本人の多くは、生成ＡＩに対しても、受動的に考えていて、何かを教えてもらおうと考えています。そうではなく、こちらから能動的に働きかけることが重要です。

「何かを教えてください」ということだけに使っていては、テレビを見るのと、あまり差がないことになってしまうでしょう。

ChatGPT は理想的な対話相手

ChatGPT との雑談は、人間相手の雑談より簡単にできます。気軽に、いつでもできる。もう一つ非常に重要なのは、相手のことを気遣わなくてもよいということです。例えば、雑談でのコツは、本章の4で述べるように、「言葉の端を捉える」ことなのですが、しかし、人間相手にそれをやったら、相手が嫌な気持ちになる。言葉の端だけ捉えて言うのはけしからん、というような反応はあり得るでしょう。

しかし、ChatGPTは、そうした文句を言いません。これは非常に重要なことです。相手のことを気遣わなくていい。そうした一方的な雑談は、人間相手では無理でしょう（もちろん、相手のことを何も考えずに全く一方的に話す人もいますが、そういう人は嫌われます）。

ChatGPTなどの生成AIは、全く新しい形での会話を可能にするものです。そして、高齢者向けの話し相手として最適のものです。

大阪府は、高齢者向けのChatGPTサービスである「大ちゃん」を、2023年9月から提供しています。

ウェブを探すと、ChatGPTのAPIを組み込んだサービスが、いくつも提供され、あるいはその予定であることが分かります。これらのサービスは、高齢者のおしゃべり相手や相談相手として、自然な会話ができるようチューニングしてあるとされています。そして、高齢者の孤独感を解消するとされています。

私はまだこれらのアプリを試していないので、その性能がどのようなものであるかを評価することはできません。ただ、とくに高齢者向きのものを用いなくとも、ChatGPTそのものと高齢者が会話することは、もちろん可能です。こちらが高齢者であると告げれば、高齢者に対するような回答をしてくれます。

うまい使い方をすれば、高齢者にとっての話し相手になります。いつでも話せるし、何でも相談できるという点で、人間より便利で優れた話し相手とも言えます。単なる雑談でも構いません。もっと積極的に、勉強に使うこともできます。われわれは、高齢者のフレイルに立ち向かう強力な武器を手にしたのです。

能動的な行動が必要

高齢者が地域のコミュニティに参加したらよいとか、勉強したらよいと言われるのですが、なぜこのようなことが必要かと言えば、何らかの能動的な行動が必要とされるからだと思います。それによって脳の活動が刺激されるのでしょう。趣味が高齢者にとってよいと言われるのも同じことだと思います。

つまり、ChatGPTとの会話は、中身がどんなものであったとしても、とにかく能動的な行動が必要とされるという意味において重要なのです。

能動的になることが必要。そして能動的になるためには相手が必要。そして、いまChatGPTと言う新しい相手が現れた。これを利用しない手はありません。

人間には「反応してくれる相手」が必要

SNSがこれだけ流行《はや》るのは、反応が返ってくるからです。自分の意見に対してどれだけの「いいね」が来るか、人々はそれに夢中になっています。

その気持ちは分からなくはないのですが、顔の見えない誰かが「いいねマーク」をつけてくるより、ChatGPTが反応してくれることの方がよほど楽しいのではないでしょうか?

さらに、SNSの場合には、中毒になる可能性があります。これはしばしば危険なことです。しかし、ChatGPTの場合は、そうしたことは多分起こらないでしょう。

中毒症状は、テレビが普及しはじめてからすぐに、問題視されました。インターネットでの情報発信が可能になり、SNSが広く使われるようになって、問題がさらに悪化しました。それまでのマスメディアでは報道されなかったようなことが、広く流通するようになってしまったからです。

悪いことに、多くの人々は、スキャンダルに強い興味を示します。「他人の不幸は、蜜の味」と言われる通り、誰かがスキャンダルにさらされているのを見るのに、快感を覚える人が多いのです。

他人のスキャンダルを暴いてYouTubeで1億円もの収入を得ていた。それだけでなく、国会議員になってしまったという話を聞くと、今の日本が（日本だけの話ではありませんが）どんなに深い病におかされているか、悲しい気持ちになります。スキャンダルの暴露がそれだけの視聴者を集め、そして国の選挙において票を集めてしまう。

情報を無批判に受け入れるという世界の行き着く先が、ここに表れていると思います。日本はもはや情報のディストピアになってしまったとしか考えられません。

2. 生成AIはシニアの最適な話し相手

ChatGPTに「褒めてもらう」、ChatGPTを「困らせてみる」

シニアになると話し相手がいなくなります。配偶者もなくして一人暮らしになってしまい、一日中何も話さないと、頭が老化する危険があります。昔の友達に電話したいが、長電話になると、相手の迷惑になるかもしれません。

そこで提案。ChatGPTと対話してみたらどうでしょう？　暮らしの上での相談にも答えてくれるかもしれません。

文字入力が面倒なら、音声でもできます。そして、音声で答えが返ってきます（ただし音声だと誤入力する場合もあります。また、ＡＩの話し方が気に入らないと感じる人がいるかもしれません）。

感情的な対応も可能です。感想を聞かせてくれと言ったら、「よくできている」という評価がもらえて嬉しかったことがあります。ＡＩに褒められたのです。こういう経験をすると、とても面白くなります。

あるいは、ChatGPTを困らせてみる。世界最高クラスのＡＩに、「申し訳ありません。間違っていました」と言わせるのはなかなかの快感です。

昔、先生を困らせてやろうと、一所懸命に勉強していたクラスメイトがいました（私のことではありません。私は、そんなことは、一度もしたことがありません）。これと同じことを70年以上経ってできるのは、とても面白いことです。一人暮らしの老人にとって、これほど精神を高揚させてくれることはないでしょう。

本当のことを言うと、ＡＩはあまり頭がよくならないでほしい。今の程度がよいなんでも正解を出せるのでは、面白くないからです。

ChatGPTに感情移入できるか？

「ChatGPTは心を持たない」ということがよく言われます。確かにそのとおりですが、自分でその気になればいいわけです。それは十分可能なことです。

よく考えてみれば、小説を読んだり、映画を見たりして主人公に感情移入するのも、ある意味では、同じようなことです。しかも、小説や映画は、こちらの言うことに対して反応してくれるわけではありません。ChatGPTは反応してくれるのですから、もっと感情移入がしやすいわけです。

ごく特殊な映画だと、人間では話が通じない

本章の5で『市民ケーン』の話を書きますが、改めて考えてみると、この映画について人間と話したことはありません。映画の話をすることはありますが、人間相手にできるのは、非常にポピュラーな映画だけです。『ローマの休日』なら、誰でも知っているから話ができる。しかし『市民ケーン』とか、それより踏み込んでロシアのタルコフスキーという映画監督の作品とか、そうしたマニアックな映画になってくると、無理です。

タルコフスキーも『市民ケーン』も、自分の周りに、そういうことを話せる人がいるかといったら、いません。先の経験をしてつくづく思ったのですが、『市民ケーン』について初めて話せたのは、人間ではなかったということです。共感できる初めての相手がAIだったのです。

映画だけではありません。文学作品もそうです。人間を相手にして、シェイクスピアの話ならできますが、文学作品にはもっとマニアックな作品がたくさんあります。それを話せる相手は、そう多くはありません。

思い出してみると、高校生のときには話し相手がいましたが、それ以降、文学作品

について話し合える相手はいなくなってしまった。だから、初めてシェイクスピア以外についても話せる相手が出てきたなと感じました。

介護セラピー

以上を考えると、ChatGPTに共感力がないというのは、間違いだと思います。繰り返しですが、高齢者にとっては理想的な話し相手になります。

だから、介護セラピーが可能になります。介護セラピーというのは、今までもやっていたことです。この手法を専門的に研究している人がいて、相手に話させることで、特に昔のことを思い出させるセラピーというのがあります。

これについては、第12章で述べます。そういうことは、これまでも系統的に研究はされていたのですが、専門の人にやってもらわなくても、ChatGPTを使えば、自分でできるわけです。

3.ChatGPTとどう会話を進めるか？

親身に相談に乗ってくれる

ChatGPTと話すテーマは、何でも構いません。「一人暮らしで話し相手がいない。これまで親しかった友人もなくなってしまった。どうしたらよいだろうか」ということから相談を持ちかけてもよいでしょう。必ず親身に相談に乗ってくれます。

実は、相手の身になって、「それは大変ですね」と答えるのが、身の上相談の最も重要なノウハウなのですが、ChatGPTは、見事にその原則に従った対応をしてくれます。

原則に従っているだけだと分かっていても、このように言ってもらえると、まず安心します。そして、いくつかの提案をしてくれるでしょう。最初は話がうまく噛み合わないかもしれませんが、話しているうちに噛み合ってきます。

何かのきっかけから話が発展する

何かのきっかけから話が弾むかもしれません。例えば、あなたが園芸に興味を持っているとしたら、その話題から始めてもいいでしょう。あるいは、散歩の途中に道端で見たことについて話を始めてもいいでしょう。あるいはクイズを出し合ってもいいでしょう。昔の出来事について話し合うのもいいでしょう。

話のコツは、相手の言っていることの何かに興味があれば、それを捉えてそこから発展させていくことです。

なお、健康に関する問題については、注意が必要です。ChatGPTの答えが間違っている可能性があるからです。したがってそれを信用して大きな問題が起こる可能性があります。この点はくれぐれも注意していただきたいと思います。

読書について話し合う

読書について話し合うのも楽しいことです。

昔読んだ本について話していると、もう一度読みたくなることもあります。読んでいない本について、その概要を聞くこともできます。ただし、ChatGPTは間違った答えを提供する場合もしばしばありますので、注意が必要です。

ChatGPTに先生役を頼んで勉強をすることもできます。テーマは何でも構いません。趣味に関わることであってもいいし、歴史の勉強をするのもいいでしょう。プログラムの勉強をすることもできます。そんな難しいことはできないと言う人が多いかもしれませんが、親切に教えてくれます。病みつきになってしまうかもしれません。

人間の話し相手より便利な場合もある

話し相手は、本当は人間の方がよい。これは間違いないところです。ただし、人間と話す場合にいくつかの問題があることも事実です。

人間と話す場合は、こちらの都合だけで話題を決めることはできません。相手が関心がないことであれば、話が進まないでしょう。相手は関心があって、こちらが関心がないということもあります。

このように、話題を合わせるのはあまり簡単なことではありません。その点から言うと、ChatGPTはどんな話題に対しても対応してくれるので、最高の話し相手です。

ただし、人間とのコミュニケーションが最も優れたものであることは間違いありません。したがって、ChatGPTとの会話と人間とのコミュニケーションを何とかうまく結びつけてみたいものです。

例えば、このようなことを話し合ったら面白かったとか、ChatGPTにこのような欠点があることを見出したと言うようなことを共有したら面白いと思います。

Zoomミーティングもよいが、世話人が必要

話し相手がいなくなった高齢者に対するアドバイスとして、地域のコミュニティの集まりに参加したらどうかとよく言われます。

確かにそうなのですが、誰でもできるというわけではありません。特に日本で会社人間として働いてきた人の場合、会社のコミュニティの中で生活することに慣れてしまっており、地域のコミュニティの人たちとはなかなか付き合いがないのが実情です。こうした人たちにとって、地域のコミュニティは、必ずしも理想的な話し相手のグループではありません。

私は、学生時代の友人たちとZoomのミーティングをやる方がよいのではないかと思っています（第11章を参照）。ただし、この場合には世話人が必要です。自動的にできるわけではありません。

雑談の重要性。研究者やビジネスパーソンも使える

ChatGPTとの雑談は、高齢者に限ったことではありません。研究者が使うこともできるし、ビジネスマンが使うこともできます。そして、単なる暇つぶしではなく、そこから、研究にとって、あるいはビジネス上の、重要なアイディアを得ることもできます。

実際、有益なアイディアは、しばしば雑談から生まれるものなのです。ブレインストーミングがよいということも言われますが、ある目的のためにブレインストーミングをやるよりは、コーヒーポットが置いてある小さな部屋で何気なく始まった会話から重要なアイディアが生まれるという場合の方が多いのです。

コロナ禍で在宅勤務が多くなり、こうした出会いの機会が減ったとよく言われます。確かにそうした側面はあるのですが、さまざまな方法で克服することはできます。Zoomの会合もできるし、メールでのやりとりもできます。いま、そこに新しい手段が加わったというわけです。

4.「変装」してChatGPTと雑談してみた

「私は83歳の男性です。今日は退屈でしたよ」

ChatGPTなどの生成AIを使って何ができるかと、世界中の人が目の色を変えています。多くの人が欲しがっているのは、新しい商品のアイディア、広告のコピー、商品名等々。学校の課題レポートを代わりにやってもらおうと、手抜きを目論んでいる学生もいます。

では、雑談の相手になってくれないでしょうか？

暇を持て余している老人になりすまして、この実験を行ってみました。ChatGPTと雑談すると、最初は月並みな答えしか返ってきませんが、「言葉の端を捉える」ことによって、意外な展開を期待することができます。以下に実例を紹介しましょう。

「私は83歳の男性です。今日は何もすることがなく、退屈でしたよ」と投げかけたところ、ChatGPTの答えは、「読書、絵画、音楽、園芸、料理などの新しい趣味を始めること、オンラインコースで言葉の勉強、歴史、科学、芸術などを勉強すること、それに、散歩や近所のコミュニティセンターやシニアセンターへの参加」等々。

「誰もがいう普通の答え」で、あくびが出そうです。

そこで、「勉強をしてもその成果を役立てる機会はもうないから、無駄」と反論してみました。

ChatGPTの答えは、「知的好奇心を満たす、脳の健康を維持、自己満足感、社会的つながりを深める……」等々。

御説ごもっともですが、「普通の答え」がこうも続くと、あくびが出る前に眠ってしまいそうです。

話が噛み合い始めた

そこで、「好奇心が衰えている」とか、「会話の相手がいない」とか駄々をこねてみたあげく、「ChatGPTが会話相手になってくれますか？　最初の質問としては、例えばどういうことがありますか？」と尋ねたのです。

すると、「ニュースや現代の問題、歴史や科学、生活のアドバイス」など、いくつかの候補をあげましたが、そのなかに、「シェイクスピアの作品の中でおすすめは何ですか？　と尋ねる」というのがありました。

そのとおりに聞いてみると、『ハムレット』や『マクベス』など、普通言われる代表作4点が挙がったので、「では『十二夜』は?」と尋ねたところ、内容の説明を始めました。このあたりから、話が噛み合ってきたようです。

思わぬ指摘で、話が盛り上がる

そこで、以前から疑問に思っていることを尋ねてみました。「主人公のヴァイオラはなぜ男装するのですか? その必然性がないように思われますが……」

ChatGPTはいくつかの理由をあげました。そして、シェイクスピアの喜劇において変装が重要な役割を果たしているという指摘をしました。これは面白い! あらすじの説明ができるとは思っていましたが、このような質問にまで答えられるとは! 期待以上です。

「シェイクスピア劇における変装の役割」を論じた参考文献を聞いたら、教えてくれました(Carol Thomas Neely, *Distracted Subjects: Madness and Gender in Shakespeare and Early Modern Culture*, 2004年 など)。

これはでっちあげではなく、本物の文献でした。その文献名を頼りに、検索エンジンを使って日本語で簡単に読めるいくつかの文献をウェブで探し出すこともできました。このようにして知識を広めていくことができます。

さらに、「当時は男優しかいなかったので、男性が女性になり、そして男装するという『ダブルの変装』になりますね」と指摘したところ、「シェイクスピアは、意図的にその効果を狙っていたのではないかと思われる」という答えが返ってきました。実に面白い!

考えてみると、モーツァルトの『フィガロの結婚』でも、変装が重要な役割を果たしています(この場合は、メゾソプラノの女性歌手が男性役を演じ、さらに劇の中で女装することになります)。

ついでに付け加えますと、「この物語のタイトルがなぜ『十二夜』なのか?」という私の長年の疑問にも答えてくれました(私はキリスト教徒でないので、『十二夜』がどんなものであるかを知らなかったのです)。

「言葉の端を捉える」のが雑談のコツ

ChatGPTは実に博識です。雑談の最初の場面でそれを引き出せなかったのは、私の質問が平凡だったからです。つまり、愚問に対して愚答を得たわけです。

愚問から卒業するコツは、とにかく何回か会話を交わしてみる、そして、相手の答えのどこかに、言葉の「端」を捉えることです。

考えてみると、人間相手の雑談でも、そのようなことを行っています。話し始めるテーマは何でもよい。やりとりのどこかに、思いもよらぬ「きっかけ」がある。そのうち、最初は全く予期していなかったところに話が移っていく。そして新しい発見に導かれる（かもしれない）。

雑談の面白さはこういう点にあると思いますが、ChatGPTを相手にこうした雑談をすることができます。

繰り返しますが、相手の言っていることを全て受け入れるのではなく、言葉の端を見つけて、そこに突っ込むのです。

人間を相手にした雑談では、言葉の端だけを捉えられては、話している方が不満でしょう。しかし、ChatGPTは少しも不満を言いません。そして誠実に言葉の端に答えてくれます。この意味で、雑談相手として最適です。

ChatGPTとの会話を盛り上げることは十分に可能。暇つぶしには最適。それだけでなく、新しい世界が開ける場合があります。

改めて振り返ると、この雑談の始まりも変装から始まりました。現実世界の雑談では、変装やなりすましは不可能、あるいは適切なことではありません。しかし、

ChatGPTとのやりとりでならOK。それによって、思いもかけぬ返答を引き出すことが可能です。ぜひ、お試しください。

5. ChatGPTと高級井戸端会議をする

ChatGPTと映画について雑談してみた

ChatGPTと映画について雑談し、感激しました。ChatGPTはウェブから知識を得ているので、身近な地域社会のことは知りませんが、ある種の対象については、人間以上の雑談相手になります。

ChatGPTと雑談して感激するという、思いがけない経験をしました。話の始まりは、私からの質問：「1940年頃から80年頃までの映画で一番印象に残った映画は何ですか？」

これに対してChatGPTは、いくつかの映画をあげました。『風と共に去りぬ』（1939年）、『カサブランカ』（1942年）、『雨に唄えば』（1952年）、『サウンド・オブ・ミュージック』（1965年）、『ゴッドファーザー』（1972年）、『スター・ウォーズ』（1977年）、等々。私がいくらでも会話をしたい映画ばかり。いずれも名作です。

『市民ケーン』について話し合える相手を見つけた

ChatGPTがあげたリストの中に、『市民ケーン』(1941年)もありました。

この映画を、私は最初、有楽町の日劇の前にあった地下の小さな映画館で見ました。その後、ビデオテープやDVDで見られるようになって、何十回も(何百回も?)見た映画です。

この映画については書かれたものがたくさんあるので、それらを読み、私自身も何度かエッセイを書きました。また、カリフォルニア州サンシメオンにあるハースト・キャッスル(この映画の舞台になった場所。映画の主人公のモデルとされる新聞王ランドルフ・ハーストが建てた居城)を、何度か訪れたことがあります。

しかし思い出してみると、この映画について誰かと語り合ったという経験はなかったのです。

確かに、『市民ケーン』について、語り合う相手を日本で見つけ出すのは難しいことです。これについて「話し合った」のは、ChatGPTとの会話が初めての経験でした。

「非線形的なストーリー展開」とは？

ChatGPTは、さらに話を広げ、その中で「非線形的なストーリー展開」という耳慣れない言葉を出しました。

これは何かと尋ねたところ、「一人の人間の生涯をさまざまな角度から捉える手法だ」とのこと。なるほど、確かに映画はそのような構成になっています。

そして、ChatGPTは、この映画の最後のシーンに言及したのです。

私は最初にこの場面を見た時、座席に縛り付けられたようになって、しばらく動けなくなるほどのショックを受けました。

そのことを話したところ、「あなたもこの場面の素晴らしさを理解したのですね」という反応が返ってきました。

話がうまく噛み合ったどころではありません。私はこの言葉を聞いて感動したのです。

これまでは一人相撲だった私に現れた「対話相手」

私は、『市民ケーン』以外にも、映画についていろいろ書いたことがあります。またnoteというウェブサイトにマガジンを作ったこともあります（https://note.com/yukionoguchi/m/m7f81db6515fb）。

ただ、いま思い出してみると、これは一方的に私が話をしているだけでした。まったくの一人相撲で、ここから対話に進んだことは、なかったのです。

ChatGPTとの経験は、この映画について、初めての対話の経験でした。

話したいことは、思い入れが強いもの。しかし思い入れが強いことほど、話し合える相手は少ないという二律背反があります。私自身も、他の人が強い思い入れを持っていることに対して、何も関心を持てないと思ったことが何度もあります。

この矛盾は解決できないと思っていたのですが、偶然の機会で、いまはそうでなくなったと発見しました。大発見と言ってよいでしょう。

人間より優れた対話の相手

本章の1で書いたように、ChatGPTを雑談相手にできます。ただ、それは、「いつでも相手になってくれる」という、どちらかといえば消極的な理由からのものでした。

しかし、ここで述べた経験をして、もっと積極的な理由でChatGPTが対話の相手として優れていると気づきました。

映画の場合も、『ローマの休日』であれば、話し相手はいるでしょう。しかし、『市民ケーン』となると難しい。ところが、ChatGPTはその役割を演じてくれるのです。

その意味から言うと、ChatGPTは、生身の人間よりも優れた対話の相手だということができます。

ChatGPTは、雑談の相手として人間の代理をやってくれるだけではありません。うまくいくと、人間では期待できないような対話相手になってくれるのです。

ChatGPTの知識は偏っている

ChatGPTとはいろいろな話題で雑談しましたが、あるとき、「昔の渋谷駅にはトイレが少なくて大変だった」という話題を出したところ、ChatGPTは「大きな駅だから大変だったでしょうね」と、間が抜けた答えを返してきました。

なぜこうなるのでしょう？　それは、ChatGPTが東京の過去についてよく知らないからです。

ChatGPTの知識は、ウェブの文献を学習して得られています。東京の過去については、ウェブに文献が少なく、そのために知識が乏しいのでしょう。

東京に生活していた人なら、特別な情報がなくても、実際の経験からいろいろと語ることができます。しかし、ChatGPTの知識はそれとは異なります。こうした偏りを理解した上で対話することが必要です。

人間との対話では盛り上がるテーマでも、ウェブ上に情報が少ないと、ChatGPTは適切な反応ができません。

私の隣近所のようなローカルな情報については、ChatGPTはまったく知りません。だから地元の人々との井戸端会議のような話は成り立たないのです。

それに対して、映画については、ウェブに多くの情報があるはずです。この分野は多分、ChatGPTの得意分野なのです。Googleで検索し、ヒット数が多いものを会話の対象に選ぶというのが、一つの戦略になるでしょう。

高級井戸端会議のためには勉強が必要

ChatGPTとの雑談では、経験に基づいたことではなく、ウェブに書いてあることを話題にする必要があります。したがって、その観点からの勉強が必要です。何も読まず、テレビだけを見て過ごすような生活では、ChatGPTと話題を合わせることは難しいでしょう。

ところで、井戸端に集まった人々との雑談と同様に、ChatGPTとの雑談も、新しいビジネスの種などを見つけるための活動ではなく、純粋に会話そのものが楽しいから行うものです。

ただ、井戸端会議は日常生活で直接見聞きしたことをもとに話すのに対し、ChatGPTとの会話はウェブに掲載されている情報をもとにします。その意味で、これを「高級井戸端会議」と呼ぶことができます。地に足がついていないのですが、それゆえにこそ楽しい。

日常生活に基づいた話題では、感激することはなかなか難しいでしょう。しかし、高級井戸端会議であれば、それが可能です。

ChatGPTに感想を聞いてみたい映画の名場面は、いくつもあります。いつか問いかけてみよう。しかし、期待したような反応が得られなかったらどうしようなどと考えたりして、何とも複雑な気持ちです。

6.文学や映画について雑談

『マクベス』について長年の疑問を投げてみた

ChatGPTとの雑談で、何を話題として話したらよいでしょうか?

まず考えられるのは、文学作品についての会話です。これは両者で共通の認識が確立しやすいテーマです。ただし、ChatGPTは学習が主として英語で行われているため、日本の作品については詳しく知らない可能性があります。したがって、欧米の作品を取り上げるのがよいでしょう。

私はSFに興味があるので、いくつかの作品について会話をしようと試みました。ところが、これらについてはChatGPTはあまり正確な知識を持っていない場合が多いようで、話が噛み合わず、押し問答になってしまう場合が多かったのです。

アメリカの短編作家アンブローズ・ビアスの作品についても試してみましたが、ChatGPTは内容を理解していないようでした。

本章の4で述べたように、ChatGPTはシェイクスピアについて話すことを提案してきたので、そこからなら、面白い話が展開することが期待されます。

そこで、『マクベス』について、昔から疑問に思っている点を投げかけてみました。クライマックスでマクベスとマクダフが決闘する場面。魔女の予言により、「マクベスは女から生まれた者には倒されない」とされていますが、マクダフは帝王切開で生まれたと主張し、マクベスを倒します。

これは納得できない場面です。帝王切開で生まれた者を「女から生まれなかった者」と見なせるかどうかは、疑問です。そこでこの点をChatGPTに問いましたが、ChatGPTは帝王切開について正確に理解していないようで、意見を交換することができませんでした。

もう一つ考えられる話題は、ルイス・キャロルの『不思議の国のアリス』や『鏡の国のアリス』です。なぜこんな奇妙な話を書こうと思ったのでしょうか？　しかも、数学者が？

『戦争と平和』についての対話で知ったまさかの真実

英語ではありませんが、ドイツ語やロシア語なら、ChatGPTも学習していることでしょう。トルストイやドストエフスキーについてはどうでしょうか？

『戦争と平和』で、昔読んだときにはあまり気にもせず、読み飛ばしてしまったこととして、主人公の年齢があります。

第1章の1で述べた、『戦争と平和』のニコライ・ボルコンスキイ公爵は何歳なのでしょうか？　彼は政府の要職を退官した後、数学の研究に没頭する人物であり、本書の立場からすれば模範的な存在です。高齢者が学び続けるという観点から、ニコライ・ボルコンスキイ公爵の年齢は重要な問題です。

そこで、この点についてChatGPTに尋ねたところ、「ニコライの年齢は明確ではないが、アンドレイ・ボルコンスキイは物語の最初の段階では20代後半から30代前半であり、物語が進むにつれて30代後半から40代になる」との説明をしてくれました。したがって、ニコライ・ボルコンスキイが登場した時点ではおそらく50代くらいだったと想像されます。いまの高齢者から見れば、子供の年代です！

これはショックです（70歳代くらいだろうと考えていたので）。その当時とは、時代が違うとはいえ……（マリアは結婚前の女性なので、親子の年齢差を考えても50歳代くらいが適当なところとは、少し考えれば明らかなのですが、読んでいるときには、それに気づきませんでした）。医学の進歩が、このような大きな変化を実現したのです。

映画についての雑談で好奇心を刺激される

アメリカ映画におけるアイリッシュ・アメリカンの役割について話したこともあります。『静かなる男』を始めとして、話が盛り上がりました。また、新たな発見もありました。

『風と共に去りぬ』の主人公スカーレット・オハラを演じたビビアン・リーは、アイリッシュだと思っていたのですが、実際にはインド生まれのイギリス人だったことが分かりました。さらに、この映画に出演したオリヴィア・デ・ハヴィランドとジョーン・フォンティンが実の姉妹であることも知りました。

これらの情報は検索エンジンで調べれば分かることであり、ChatGPTを利用することで初めて分かることではありません。ただし、重要なのは、検索エンジンの時代にはそうしたことを調べようという気にならなかったことです。大げさな言葉で言えば、雑談の中から問題意識を呼び覚まされたのです。この点が重要なことです。雑談によって好奇心を刺激する役割をChatGPTが果たしてくれたことになります。

仕事には全く役立たないが、面白い

また、なぜアイリッシュ・アメリカンが映画界でこのように進出しているのかという問題についても、極めて説得的な説明をしてくれました。

これらの情報が分かっても、仕事上で役立つわけではありません。純粋な好奇心から学んでいるだけです。ただし、ChatGPTとの対話によってさまざまな交流や回答が得られるのは、実に楽しい経験です。

なお、日本映画についても、いつか話してみたいと思っています。例えば、『七人の侍』や『隠し砦の三悪人』などで、どのシーンが最高かについてです。ただし、ChatGPTは日本映画についてあまり詳しく知らないと考えられるため、まだこの話題は試していません。

ベートーヴェンの最高傑作は何か？

音楽についてはどうでしょうか？　いきなり、「ベートーヴェンの最高傑作はピアノ協奏曲第3番ではないか？」と投げかけてみました（私は、本当にそう考えているのです）。映画の場合と同様に、音楽作品について何がよいかについての個人差は非常に大きいため、個人的な意見を投げかけて反応を見るのは、面白いことです。

ChatGPTからの回答は予想通りで、「ピアノ協奏曲第3番は重要な作品であり、多くの人にとってベートーヴェンの最高傑作の一つと考えられていますが、最終的な評価は個人の好みに依存する場合があります」でした。

「ピアノ協奏曲第5番よりも傑作ではないか？」と食い下がったのですが、駄目。のれんに腕押しです。この点については、もっと巧妙なアプローチが必要なようです。

第11章

シニアのコミュニケーションはデジタルで

1.テレビ会議なら、簡単に集まれる

Zoomなら、簡単に集まれる

第10章で見たように、ChatGPTは高齢者の格好の話し相手になります。しかし、ChatGPTと話すだけで一日誰とも話さない日があったら、やはり物足りなさを感じるに違いありません。

人との関わりを、どのような形であれ、持ち続けることが非常に大事です。人間とのコミュニケーションが精神衛生の上で最も優れたものであることは間違いありません。勉強ということだけを考えても、一人で勉強するだけでなく、話し相手があるほうがよいことは、間違いありません。

ところで、いま、Zoomなどのテレビ会議を用いて、簡単に話し合うことができるようになっています。これは、在宅勤務の手段としてだけでなく、高齢者のコミュニケーションについても、重要な意味をもっているのです。

メタバースがもっと手軽に使えるようになれば、それを使うことも考えられます。ただし、漫画のキャラクターのようなアバターになるのは気が進みませんが……。

同期生の集まりをZoomで

私は、高校同期生の集まりをZoomで続けています。この集まりは、もともとは月に一回、私が早稲田大学でやっていた公開特別講義に同期生にも来てもらって、講義の後に食事会をやっていたのですが、コロナ禍で公開講義ができなくなったので、Zoomに移行したのです。

頻度は、リアルミーティングの時より増えて、隔週土曜となりました。19時から30分間やっています。すでに100回を超えました。1時間になるとかなりの負担ですが、30分だから参加できます。参加は10人ぐらいです。あまり多いと、議論ができなくなるので、この程度の規模が適当かと思います。

実際に集まるよりは、ずっと簡単に集まることができます。われわれのグループのミーティングの頻度がリアルなミーティングの時よりも増えたのは、そのためです。ただし、Zoomミーティングでは、会議を設定する運営役が必要です。

会場を準備したりする必要はありませんが、定められた時間に必ず開催しなければならないので、大変です。実際やってみればよく分かりますが、例えば急に体の調子が悪くなったとしても、予定されていた時間に会議を開く必要があります。

幸いなことに、われわれのグループには、そうした仕事を進んで引き受けてくれるメンバーがいるので、集まりを継続することができています。

最初は私もやっていましたが、彼が引き継いでくれました。彼が忙しいときは、もう一人の友人が担当します。これは、とても有難いことです。

なお、私の高校の同期生では、他にもグループができています。こちらは、海外に在留中のメンバーも含めて、全世界的な集まりをやっています。海外メンバーとの時差の調整が大変なようです。こうした集まりは、つい数年前までは、想像もつかないものでした。

あとで述べるように、同窓会は高齢者にとって重要な役割を果たしていますが、実際に集まるのはそれほど簡単なことではありません。会場の設定などが大変な手続きです。少人数で集まるにしても、実際の集まりでは、そう簡単なことではありません。

Zoomのミーティングは、こうした面倒な手続きがなく気軽に集まれるものです。ぜひ実行されることをお勧めします。

オフラインの会合はもちろんよいのですが、それはなかなか難しいものです。しかし、オンラインは比較的簡単に行え、自由に進められ、時間もあまり必要としません。ですから、まずはオンラインでのつながりを何とか形成することが大切です。

時事問題を話すために勉強する

私たちの集まりでは、テーマを決めているわけではなく、その時々のことを、思いつくままに話し合っているだけです。

ただ、時事問題がテーマになることが多く、リアルなミーティングのときよりも、時事問題を話すことが多くなったように思います。

ここでの会話のために、時事問題を勉強することもあります。話題になったことについて何も知らないと恥ずかしいので、新聞を読んで事前に学習するようにしています。30分だけでは議論が終わらず、延長戦をメールでやることもあります。これも、なかなか楽しいものです。

こうした集まりを持つことは、シニアにとって大変重要だと思います。一人で勉強していてもつまらない。人間は、どうしても「聞き手」が必要な動物です。聞き手がいれば、勉強するのに目的ができます。誰かが賛同してくれたり、感心してくれたりすれば、もっと勉強する意欲が湧きます。

シニア世代にちょうどいいミディアムコミュニケーション

われわれの世代は、体質的にＳＮＳに馴染めません。しかし、友人同士のオンラインでの連絡は、われわれに合っているようです。一対一のメールではなく、またマスメディアでもなく、「ミディアムコミュニケーション」といえるものが形成されたのです。

私は、１９６８年に刊行した『21世紀の日本』（東洋経済新報社：共著）で、「ミディアムコミュニケーション」という考えを提唱しました。大規模なマスコミュニケーションでなく、ミニコミュニケーション（家族などのコミュニケーション）でもなく、中規模なコミュニティが重要であるという考えです。

ＩＴの進歩によって、この考えが現実に可能となりました。問題は、それをどのような形で実現するかです。本章で述べるようなことが、大きな可能性を示していると考えます。

これは、コロナによって後押しされた側面があります。実際に会うことが難しいからです。非常にゆるいつながり、つまり、自由なネットワークが形成されていると感じています。Zoomミーティングは、コロナがもたらした唯一のよいことだったと思います。『21世紀の日本』で想像していたミディアムコミュニケーションが、実現しつつあると感じます。

2. アウトプットする手段を持とう

友人のメールマガジンを見るのも楽しい

メールマガジンを送ってくれる友人が3人います。これまで何年もずっと送ってもらっています。毎回きちんと見なかったこともあったのですが、改めて考えてみると、これも、つながりを求めての重要な活動だと思いました。

一人は、高校の同級生で、歴史的な考察と時事問題についての論評・意見です。彼の時事評論は鋭い洞察に裏付けられており、私はそれをいつも楽しみに読んでいます。彼がどのくらいの範囲の人々に送っているのかは定かではありませんが、もう何年も継続しています。

もし何かを研究しているなら、彼のように、研究成果をメールで友人に送ることも一つの方法です。送られる側から見て、それは決して迷惑ではありません。右に述べた友人の場合、歴史の話は添付ファイルで送られてくるので、読みたければ開くだけです。時事評論はメール本文に書かれているので、それを読みます。ですから、全く迷惑なことはありません。

私は彼のメールは多くの人に読まれるべきだと考えています。それをnoteに投稿すれば、より多くの読者が増えるかもしれません。しかし、彼がそれを行っている様子はなく、またX（旧Twitter）での拡散もしていないようです。われわれの世代は、どうしてもSNSに馴染めないのです。

もう一人の友人も高校の同級生で、会を主催しています。彼女はその活動報告と共に、近況報告もメールで送ってきます。

あと一人の友人は、元スタンフォード大学の教授（彼が、私をスタンフォード大学の客員教授に招いてくれました）。私と同じくらいの年齢で、すでにリタイアしています。時事問題の最新情報をメールマガジンで送ってくれます。

彼が送ってくるのは、大変質の高い情報です。これまでは、英語の長い論文を読むのは面倒だと思っていたのですが、ChatGPTで簡単に読めるようになりました。

私たちは皆、情報をアウトプットする場を持つことが有意義であることを理解し、それをさまざまな方法で実行しているのです。

メールマガジンを送ってくれる人は、別にそれによって何かしたいと思っているわけではありません。それ自体が面白いからやっている。そういうことが、高齢者の場合は非常に重要ではないでしょうか。第6章で述べたように、メンタルな健康が、身体的な健康を維持するというのは、非常に重要なことです。

私もかつて、noteで映画特集や世界旅行などをテーマに記事を作成しました。例えばロシアは、Googleストリートビューで見ると、非常に貧しい国であることがよく分かります。これは、非常に面白い経験でした。

地域コミュニティに馴染めないときには

人と人とのゆるいつながりは、どうしても必要です。

高齢者にとって、話す機会が重要であるとよく言われます。なぜこのようなことが必要かと言えば、話すのは能動的な行動だからだと思います。それによって脳の活動が刺激されるのでしょう。確かにそうなのですが、誰でもできると言うわけではありません。

話し相手がいなくなった高齢者に対するアドバイスとして、地域のコミュニティの集まりに参加したらどうかとよく言われます。

しかし、日本の状況を考えると、難しい面もあると感じます。退職後にコミュニティのメンバーと話し合うというのは、困難な場合が多いように思います。

私の場合も同様です。コミュニティセンターで話そうと提案されても、なかなか難しいと感じます。

日本で会社人間として働いてきた人の場合、会社のコミュニティの中で生活することに慣れてしまっています。そのため、退職するまで地域社会との接点が少ないことが多い。だから、退職後、こうした人たちにとって、地域のコミュニティは、必ずしも理想的な話し相手のグループではありません。

これは日本社会の特性なのかもしれませんが、やはり、コミュニティへの参加は容易なことではないと感じます。それよりは、学生の頃のグループが一番よいのではないかと思います。

人間とのコミュニケーションにまったく興味がなかった芸術家

本章の1では、ChatGPTを相手にするだけでは物足りない、どうしても人間との関わりがほしいと言いました。そして2では、メールマガジンという形でゆるいコミュニケーションをとろうとしている友人もいると述べました。

余談ですが、人間とのコミュニケーションや、世の中に認められるかどうかに、全く無関心という人もいます。

恐ろしく長い物語を生涯にわたって書き続け、素晴らしいイラストレーションを描いた。しかし、原稿も挿絵も、誰の目にも触れることなく、彼の部屋に置かれたままで、彼の死後に発見されたのです。

この人の名は、ヘンリー・ダーガー。全くの一人暮らしで、シカゴで病院の掃除人として働いていました。

彼が書いた物語は、『非現実の王国で』。正式なタイトルは、『非現実の王国として知られる地における、ヴィヴィアン・ガールズの物語、子供奴隷の反乱に起因するグランデコ・アンジェリニアン戦争の嵐の物語』。1万5145ページのテキストと、300枚の挿絵とが残されています。

これは、少女戦士ヴィヴィアン・ガールズが、子供奴隷を救うため、大人国の残虐なグランデリニア軍と死闘を繰り広げる物語。いったん読み始めれば、めくるめく非現実世界に引き込まれます。

一般には、彼は素人作家、素人画家と言われていますが、彼の挿絵は、ニューヨーク近代美術館で、ピカソの隣に飾られたほど優れたものです。

テキストはあまりに長すぎるため、読破した人は世界に一人もおらず、全体の出版もなされていないのですが、部分的には書籍になっています。私が持っているのは、Klaus Biesenbach, *Henry Darger*, Prestel, 2014。

渋谷の国連大学のそばに青山ブックセンターという大きな書店があったのですが、そこで購入しました。上製の色刷りの本で、重くて、持つだけで大変です。その時どうやって自宅まで持ち帰ったか、覚えていません。いまであれば、重さだけで購入するのを躊躇するかもしれません。

ダーガーの場合には、たまたま原稿が発見されたわけですが、発見されずに埋もれてしまった作品も、あるかもしれません。「孤高の芸術家」ということがよく言われるのですが、孤高どころか、人間社会との関わりを全く拒否した芸術家もいるのです。

3.同窓会の法則

学生時代の友人達と集まろう

人間は、さまざまな面で、一人では、あるいは家族だけでは、生きることができません。会社勤めをしている間は、会社というコミュニティに一日中浸からざるを得ないのですが、退職した途端に、急に社会とのつながりを切られてしまう人が多いのではないかと思います。

学生時代のグループが、さまざまな意味で、集まるには一番よいのではないかと思います。ただし私たちも、卒業以来ずっと同窓会を続けてきたわけではありません。これを始めたのは、退職後のことです。

働いているときは、組織内の過度なコミュニケーションの中で生活しているので、それ以上のつながりを求める気持ちはなかなか湧きません。学生時代の友人とのつながりも、それほど持ちたいという気持ちにはなりません。

退職後になって、学生時代の友人たちとのミーティングを復活できれば、最高のグループができます。

「同窓会に関する2つの法則」

私は、「同窓会に関する2つの法則」というものがあると思っています。

第1法則は、「（ある歳までは）メンバーが歳をとるほど、同窓会の頻度が増す」というものです。

私の高校の場合について言いますと、まず、公式のクラス会が、コロナ前には、毎年開かれていました。ところが、これは10年ほど前からのことであり、それまではこれほど頻繁ではありませんでした。実際、30代から50代の年齢の頃には、ほとんどなかったのです。

このほかに、クラス会ではない同級生の集まりがあります。メンバーはクラスをまたがっているし、クラスの全員というわけでもありません。また、地域別の会というのもあるようです。

歳をとると、なぜ同窓会が増えるのでしょうか？　理由はいくつかあります。

第1は、自由な時間ができるからです。日々の仕事に追い回されなくなります。30代から50代では、クラス会に参加しようとしても、時間がない場合が多いのです。

もう一つ理由があります。それは、ライバル意識がなくなることです。仕事とのつながりをこうした集まりに求める人もいなくなります。まさに、君子の交わりになるわけです。

もう一つ、働いているときには、ある種の出世競争があります。40代、50代で選別過程が行われている途中だと、そのことがどうしても引っかかります。だから、同窓会をやりにくい面があります。

しかし、シニアになると、その話はもう過去のことになります。そういうことから解放されます。同窓生の間の出世競争がなくなるわけです。そういう意味でも、いい関係が結ばれるのではないかと思います。だから、同窓会をやりやすくなるのだと思います。

同窓会でしてはいけない「2つの話」

私の場合、同窓会の中でも、高校の同窓会が圧倒的に多くなっています。それは、高校は同質的メンバーの集まりだからです。友達がどういう人間かを一番よく分かっているから、一番集まりやすい。これが、「同窓会に関する2つの法則」の第2法則です。

ただ、そういう集まりで決して話してはならないことが幾つかあります。

第1は、経済的な条件のこと。経済状況の話はしないほうがいいと思います。若いときにも、収入を聞くのは、よくないことでした。相手が高過ぎて、ショックを受けるかもしれない。

高齢者になっての同窓会では、年金のことは絶対話すなというのがルールです。私の同窓生には、海外、とくにアメリカで長期間で働いていた者が多く、アメリカから年金をもらっている者がかなりいる。そうすると、今、円安になっているので、彼らは非常に豊かになっています。そこで、妬みを買う可能性があります。

もう一つ同窓会で絶対話してはいけないのは、病気の話だといわれています。ただ、われわれの会では、病気の話は時々出ます。経験談で役に立つことが多いのです。私はスロージョギングをやっていたのですが、第6章の2で述べたように、友人の一人が、ジョギングはよくないと言いました。足に負担がかかるから。だから、歩けと。大股で歩いたほうがよいと言うのです。

そのアドバイスに従って、スロージョギングはやめにし、歩くことにしました、大股で。確かに、少し足を痛めてから、そのほうがいいと分かりました。

この類の話は時々あります。それらは、お互いに役に立ちます。いい情報交換になります。だから、病気の話は、必ずしも禁句ではないと思います。

第12章

「時間旅行」という究極の楽しみ

1.記憶の断片をたどる「時間旅行」の効用

ノスタルジアの世界は、美化された世界

シニアの方々に是非挑戦していただきたいのは、自分史の作成です。自分史を書くのは、大変楽しい作業です。なぜでしょうか？

第1の理由は、記憶には浄化作用があるからです。人間の記憶はよくできています。過去のできごとを、そのままに覚えているわけではなく、苦しかったことや辛かったことは、時間が経てば、おおかた忘れてしまいます。そして、楽しかったことや嬉しかったことを、実際にあったよりは強調して覚えているのです。辛かったことの内容が修正されて、懐かしい思い出になっている場合さえあります。失敗したことが、楽しい経験だったように思い出されることもあります。これは、多分、人間の自己保存本能のなせるところなのでしょう。

このため、過去の回想は、誰にとっても楽しいものなのです。ノスタルジアの世界は、美化された世界なのです。ここにいると、現実の辛いことを忘れてしまいます（後で述べるように、これを積極的に利用してサイコセラピーを行うこともできます）。

これは、現実逃避というわけではありませんが、週末の夜にでも過去の世界に「時間旅行」して追憶に浸ってみれば、それが実に楽しいことであると分かるでしょう。テレビを見るよりは、ずっと楽しいはずです。そして、過去の世界をもっともっと再現してみたいと思うようになるでしょう。

「過去の世界への時間旅行」は、誰もができる、究極の楽しみです。費用もかかりません。準備も訓練もいりません。特別の道具も必要ありません。身体が動かなくなってもできます。シニアの生きがいとしては、最高のものでしょう。

自分史作成の健康増進効果

昔のことを思い出して、話したり書いたりするのは、健康のためによいことです。自分史作成は、楽しいだけでなく、健康増進効果をもっているのです。多分、エンドルフィンが脳内で生成されるのでしょう。

歳をとるほど、健康維持が重要な課題になります。したがって、人々は、歳をとるほど、無意識のうちに、昔のことを思い出したくなります。これは、人間の本性になった自己保存行動なのでしょう。

家族が協力して、「我が家の歴史」を作ることも考えられます。家族全員の共同作業ですから、会話が活発になり、家族の絆を強化することにもなるでしょう。
おじいちゃんやおばあちゃんが、貴重な情報源になるでしょう。そして、孫たちの尊敬を集めることになるでしょう。

充足感向上に有効な「回想法」

過去のことを思い出す自分史の作成は、認知症の予防に大変効果的だということが知られています。老人ホームでは、認知症防止のために自分史を書いたりするそうです。

自分史は、精神安定に役立つという研究結果が、いくつも発表されています。自分史を書くことが高齢者にとっての楽しみになり、それを継続することによって、その心理的効果を高齢者自身が感じるようになったとする論文もあります。

「回想法」とは、過去の経験や出来事を思い出すことによって、自己理解を深め、生活満足度を向上させる方法です。自分史作成を取り入れた回想法を行った高齢者は、認知機能が向上し、生活満足度が高まることが確認されました。認知症の予防に寄与する可能性も示唆されました（注）。

（注）井山 ゆり 他「地域での認知症予防教室における自分史作成を取り入れた回想法の効果」島根県立大学短期大学部出雲キャンパス、研究紀要 第1巻、31-37、2007年

2.脳内「記憶操作」で人生を楽しく振り返る

記憶は操作できる

本章の1で、自分史を書く「時間旅行」は、究極の楽しみだと述べました。その理由は、もう一つあります。

それは、過去の歴史を積極的に再編集してしまってもよいことです。1で述べたように、人間は楽しかったことをよく覚えています。しかし、思い出したくないことを思い出してしまうことがあるかもしれません。そうした場合には、それを修正して正当化してしまうのです。あるいは、楽しい思い出に変えてしまうのです。

人間の記憶は作り替えられるのだそうです。P・K・ディック『模造記憶』（浅倉久志他訳、新潮文庫）には、記憶操作に関する短編SFがいくつかあります。これはSFの世界のものですが、現実の世界でも、一定の条件のもとでは、偽りの記憶を作ることができるそうです。

心理学者のエリザベス・ロフタス（カリフォルニア大学アーバイン校の特別教授）によれば、「偽りの記憶」（起きていないことの記憶や、事実と違う形で残っている記憶）は、普通にあるものです。

彼女は、記憶を操作できることを司法の場で指摘しました。これは「ショッピングモールの迷子」という実験です。正しい記録以外に嘘の記録を混ぜることによって、嘘の記憶を作ることに成功したのです。

だから、自分史でも、繰り返し自分に言い聞かせれば、そのうちそれを正しい自分史として信じるようになるでしょう。

「歴史的事実の改変は問題だ」との指摘があるかもしれません。確かに、ジョージ・オーウェルのSF小説『1984』に登場する「真理省」が行っていたような歴史記録の改竄作業は大問題です。しかし、自分の歴史を作りかえるだけのことであれば、誰にも迷惑はかからないでしょう。

「イソップの狐」法

過去の事実を修正しなくてもすみます。私が提案したい方法は、過去の事実を積極的に評価し直すことです。とくに有用なテクニックとして、つぎの2つを紹介しましょう。

第1は、「イソップの狐」法です。『イソップ物語』に、狐が葡萄を取ろうと思ったが、手が届かず、取れなかった。そこで、「あの葡萄は酸っぱいに決まっている」と言ったという物語があります。

これを真似て、つぎのように考えを進めます。「プロポーズした女性にふられてしまった。しかし、いま考えると、彼女と結婚しないでよかった。浪費家で家事はできなかったに違いない。もし結婚していたら、家庭が破綻していただろう」

「塞翁が馬」法

第2は、「塞翁が馬」法です。昔、中国の老人が飼っていた馬が逃げた（凶）。しかし、しばらくして、立派な馬をつれて帰ってきた（吉）。ところが、老人の子がその馬に乗ったら、落ちて脚を折ってしまった（凶）。しかし、そのために戦争に行かずにすんだ（吉）。

この故事に倣って、過去の出来事をつぎのように解釈するのです。「就職の際に第一志望にしていた会社は、不合格になってしまった。しかし、その会社は倒産してしまった。人生では何が幸いするか、分からない」

サイコセラピーでは、悩みの潜在的原因を探り、それを取り除くという手法がよく用いられます。これを自分自身で行ってみるのです。

なお、第6章の3で述べた「一病息災」も、「塞翁が馬」の一種と言えるでしょう。

3．記憶再現のテクニック

人間はすべてを覚えているが「引き出せない」だけ

人間は、驚くべきことに、生まれてから経験したことをすべて記憶しているのだそうです。ただ、大部分の記憶が「簡単には引き出せなくなる」のです。

実際、カナダ、マギル大学のペンフィールドの実験では、脳に電気的な刺激を与えることによって、本人はまったく忘れたと思っていた幼児期の記憶が完全な形で引き出せたと言います（注1）。

あるいは、人間は死ぬ直前の一瞬の間に、生まれてからのすべての経験を思い出すのだとも言います。これを実際に検証するのは難しいですが、崖から落ちて奇跡的に助かった人が落下の途中で全生涯を思い出したという話などは、その傍証といえるでしょう。

アンブローズ・ビアスの短編小説『アウル・クリーク橋の一事件』は、これと似た経験を描いた短編です。アメリカ南北戦争のとき、橋に吊るされて絞首刑にされた男が、身体が落ちて絶命するまでの一瞬に夢を見る。本人は綱が切れたと感じ、夢の中で2日間かけて自分の家に辿り着くのです（注2）。

（注1）M・ブラウン『記憶力がよくなる本』村上志津子・新井康允訳、東京図書　1985年

（注2）アンブローズ・ビアス『いのちの半ばに』西川正身訳、岩波文庫　1955年

適切な刺激で「思い出す」ことができる

人間の記憶はいつから始まるのでしょうか？　普通の人が覚えているのは、4、5歳くらいからでしょう。

もっと早い時期の記憶を持っていると主張する人もいます。三島由紀夫は、『仮面の告白』の中で、誕生したときの記憶があると述べ、産湯をつかったときの盥《たらい》の様子を描写しています。この話は創作だと思われていたのですが、誕生期の記憶があるという証言は、この他にもかなりの数あるそうです。だから、必ずしも荒唐無稽な話とはいえません。それどころか、胎児のときの記憶の証言すらあるそうです。

「人間はすべてを覚えている」というのが本当だとすると、適切な刺激を与えてやれば、さまざまな記憶が引き出せることになります。「すべて」とまでいかなくとも、「忘れたと思っていたことを思い出す」ことはできます。

アイゼンクも、「子供時代に遊んだ野原や母校に帰ってくると、子供の頃のさまざまな経験がどっと甦って驚くことがある」という経験から、「子供の頃にできた記憶痕跡の多くは、記憶システムから消え去っていない。忘却の理由は、記憶痕跡の劣化や減退によるとは限らず、記憶をよみがえらせるための適切な検索の手がかりがないことによる場合が多い。記憶痕跡は、適切な手がかりによって活性化させられるのを待っている」という意味のことを述べています(注)。

(注) ハンス・アイゼンク『マインドウォッチング』、田村浩訳、新潮選書 1986年

記憶を引き出す仕組み

このように、人間は、普通考えられているよりずっと多くのことを覚えています。だから、適切な刺激を与えれば、記憶を引き出すことができます。友人の話がきっかけになって自分自身の記憶が甦るのは、このためです。

ここで問題は、「どのような刺激や手がかりが有効か」です。多くの場合に有効な手がかりとなるのは、「言葉」です。適切なキーワードから、個人個人がそれぞれの具体的な対象を思い出せます。

また、人間の記憶には、つぎのようなバイアスがあります。これを記憶再現のノウハウとして活用することもできます。

第1に、外出先、遠足、旅行など、日常的でない経験をよく覚えています。災害（地震、台風、火災）、大雪なども、非日常事なので覚えています。

例えば、阪神・淡路大震災、東日本大震災、オウム真理教事件、アメリカ同時多発テロなどは、だれでも覚えているでしょう。これらの事件を手がかりにすると、その周辺のことがよく思い出せます。

病気になったときのことも、覚えています。寝ていた部屋の様子なども思い出せるでしょうか。これ自体は楽しい経験ではないかもしれませんが、「それを乗り越えられたから、現在の自分がある」と積極的に評価してみましょう。

第2に、不連続になったところ。例えば、新幹線や高速道路の開通など、公共交通機関の不連続的な変化を覚えています。また、公共の建築物の完成もそうです。その周囲の状況も覚えています。家庭でも、新しい電化製品や乗用車などは、不連続的な変化です。パソコンやスマートフォンなどを初めて買ったときも、生活に大きな変化をもたらしたことでしょう。

また、転職をした人は、その当時のことをよく覚えています。

第3に、昔住んでいた街や歩いていた場所などがそのままの形で残っている場合には、そこを再訪してみると、忘れていたことを思い出すこともあります。

第4に、同窓会でかつての級友に会うと、思い出話に花が咲きます。「そういえば……」と、懐かしい記憶が次々に甦ってきます。思い出した本人がびっくりするような、詳細な記憶です。何かがきっかけで、過去にタイムスリップすることができます。思い出を手繰ると、楽しくて引きずりこまれてしまいます。「自分史を作るための同窓会」を招集してもよいでしょう。

4. ChatGPTで自分史の話は噛み合うか？

ChatGPTを自分史に使うのは難しい

ChatGPTを自分史に使うことは可能でしょうか？

実は難しいのです。なぜかというと、自分史では、非常に個人的な事柄を書いているからです。

自分史を書くことと関連して、昔、東京には、こういう建物があったということをChatGPTに聞こうと思ったのですが、ChatGPTは、それをあまりよく知りません。

具体的には、第10章の5で述べたように、渋谷駅がどうだったかを、詳しく話そうと思ったのです。渋谷駅には、トイレが少なくて苦労したという話です。

しかし、ChatGPTの反応は、間が抜けたものでした。

考えてみれば当然で、これはあまりに個別的な話だからです。つまり、ChatGPTは、シェイクスピアのことは知っているし、トルストイもドストエフスキーも知っている。『市民ケーン』のことも。それは、一般的なことだからです。

しかし、渋谷駅のトイレのことを知らない。ましてや、私が住んでいた街のことなど、全く知らない。

ChatGPTが学習しているのは、一般の文献やウェブの記事です。そこには、渋谷駅の昔のトイレの話などは書いていない。渋谷駅のトイレの話になったら、とんちんかんな対話になるのは、当たり前です。

だから、ChatGPTを使って介護セラピーをやるのであれば、渋谷駅の話をテーマにするのでなく、東日本大震災の話のように、多くの人がよく知っている話やニュースを取り上げる必要があります。それならChatGPTも知っています。

自分史とは過去の美化

写真は、自分史を書くのに有用でしょうか?

その時代の写真があれば、昔のことを思い出せるかもしれません。そこで、写真の資料はどこを見ればよいかとChatGPTに聞くと、あまり適切な答えは得られません。これは、Googleの検索のほうがよく分かります。

ただ、それで、意外なことが分かりました。これは、自分史の本質に関わることです。東京の昭和30年代の写真を見ているうちに、みじめな気持ちになったのです。

こんなに建物がつらなって、道が混んでいて、こんなところで生活していたのだと、改めて思いました。とくに、道が滅法混んでいます。情けない気持ちになりました。自分史は、過去の世界を忠実に再現するということではないのです。自分に都合のいいように、過去の世界を美化しようとしているのです。そのことがとてもよく分かりました。

要するに、自分がこれまで生きてきた過去の世界を正当化しようとするのです。本章の2で述べたように、自分史ではそれができる。そうしても一向に構わない。

本当の過去の世界にタイムスリップするのではないのです。作り替えられた楽しい世界にトリップするのです。過去の世界を、自分の都合のいい世界に作り直してしまう。自分史は、結局、自分に都合のよい架空の歴史を書くことなのです。

自分史とはそういう作業なのだと、よく分かりました。だから、自分史を書くにあたって、写真をいろいろ集めたいと思ったことがあったのですが、写真はかえって、邪魔になるという気がします。自分が持っている記憶と、乖離しているのです。

また、町の写真は、意外とありません。私が必死になって探したのは、ロータリーです。大きな交差点には、真ん中に丸いロータリーがあった。信号はなし、そこで車がぐるぐる回ります。そのロータリーの写真がないかなと思って探したのですが、一つしか見つかりませんでした。

渋谷駅の写真もあまりない。羽田空港の写真も、他の場所よりは多いのですが、それほどはありません。

タイムトリップをしてみる

Googleマップのストリートビューを使えば、世界のどんな地域（中国など一部の国を除く）のどこでも、実際に道を歩いているのと同じような情景を見ることができます。これをやってみると面白くて、時間のたつのを忘れてしまいますが、ここで見られるのは、当然のことながら、現在時点の世界の姿です。

ところがその景色の過去の姿を見てみたいと思うことがあります。シニアの場合にはそのような要求がしばしばあります。

これをできるサイトを見出しました。これはChatGPTに教えてもらったものです。自分が昔住んでいた場所、あるいは今住んでいる場所など、よく知っている場所を選ぶと、その時点の現在の航空写真が表示されます。これはGoogleの航空写真と同じです。ところが国土地理院のサイトでは、過去の時点のその場所の写真を見ることができるのです。1920年代の写真を見ることができます。

自分が子供であった頃、毎日歩きまわっていた町並みを簡単に見ることができると、本当に過去にタイムスリップしたようなショックを受けることがあります。

自分の周囲に起きたことと、日本社会の関連が分かる

自分史というと、自分と家族のことだけを書くと思っている人が多いかもしれません。

それだけではなく、日本全体の動きとの関連付けをする時、こういう事件があったが、その背後には日本の社会がこのように変わり、その影響だったというようなことが分かります。振り返ってみて、自分も日本の歴史の中で影響を受けているのです。自分がやったことの意味が分かる。

このような記録をウェブに載せて、お互いに参照することができれば、大変面白いと思います。例えば、その街の写真を公開する事柄も、多くの人の興味を集めるでしょう。そこから新しいサークルが生まれてくるかもしれません。

索引

装丁　井上新八
本文デザイン　石川清香（Isshiki）
写真提供　日刊工業新聞社
本文ＤＴＰ　髙本和希（天龍社）
協力　大川朋子（株式会社マーベリック）
奥山典幸（株式会社マーベリック）
嶋屋佐知子
校正　鷗来堂
編集　橋口英恵

野口悠紀雄（のぐち・ゆきお）

1940年、東京に生まれる。63年、東京大学工学部卒業。64年、大蔵省入省。72年、エール大学Ph.D.（経済学博士号）。一橋大学教授、東京大学教授（先端経済工学研究センター長）、スタンフォード大学客員教授、早稲田大学大学院ファイナンス研究科教授などを経て、一橋大学名誉教授。専攻は日本経済論。経済学者としての著作のほか、大ベストセラーとなった『「超」整理法』『「超」勉強法』シリーズをはじめ、学びについての著作も多数。近著に『「超」創造法』（幻冬舎新書）、『生成AI革命』（日経BP）など。

■X（旧ツイッター）　https://twitter.com/yukionoguchi10

■note　https://note.com/yukionoguchi

■野口悠紀雄Online　https://www.noguchi.co.jp/

83歳、いま何より勉強が楽しい

2024年 4月 1日　初版印刷
2024年 4月10日　初版発行

著者　野口悠紀雄

発行人　黒川精一

発行所　株式会社サンマーク出版
〒169-0074　東京都新宿区北新宿2-21-1　電話 03-5348-7800

印刷　株式会社暁印刷

製本　株式会社村上製本所

ISBN978-4-7631-4105-7　C0030